W9-DCW-368

COTE SUD
Imm.
Cristal Palace
Les Berges
du Lac
Tunis
Tel./Fax

# LA DÉCORATION AU POCHOIR

# LA DÉCORATION AU POCHOIR

PLUS DE 200 MODÈLES
DE POCHOIRS POUR AGRÉMENTER
VOTRE INTÉRIEUR

Patricia Meehan

Chantecler

Titre original:
*Stencil Source Book*


Cette édition par: Chantecler, Belgique-France
Traduction française: Martine Gosselin
Imprimé en Malaisie
D-MCMXCIV-0001-168

# TABLE DES MATIÈRES

# INTRODUCTION

Les pages suivantes vous feront découvrir la richesse de la décoration au pochoir. On peut pratiquement tout décorer au pochoir, des planchers aux murs et des céramiques à la soie. Quel que soit votre style de vie, quel que soit votre environnement, vous n'aurez aucune peine à trouver de quoi exercer vos talents. Le travail au pochoir est à la portée de tous. Avec un peu d'imagination, un minimum d'instruments et très peu de frais vous donnerez à votre foyer une touche tout à fait personnelle. Avec en outre la satisfaction d'en être l'unique auteur. En effet, l'une des particularités du travail au pochoir est qu'à partir du même dessin deux personnes obtiendront invariablement des résultats différents.

Chaque chapitre de ce livre est consacré à un thème décoratif différent. Chacun vous donnera bien des idées créatives à adapter selon votre humeur. Certaines sont simples, d'autres plus ambitieuses. A la fin de chaque chapitre vous trouverez une sélection de projets à décalquer et à utiliser comme base. Bien que les projets soient regroupés par thème spécifique, essayez de les envisager de façon plus générale. Ainsi, un motif repris dans un chapitre peut être utilisé dans une autre partie.

Le pochoir est de loin la méthode de décoration la plus facilement adaptable. Le motif le plus simple peut servir de base à bien des créations, toutes assorties au dessin original.

Il y a une règle d'or à respecter lorsqu'on commence un travail au pochoir : se freiner. La tentation est grande d'ajouter encore un motif, mais il faut pouvoir s'arrêter. Ce n'est pas toujours aisé lorsqu'on se lance avec succès dans un domaine tout neuf. Pourtant, vos œuvres au pochoir doivent se fondre dans leur environnement de façon à devenir partie intégrante de la pièce plutôt que détonner sur les murs. Plongez selon votre humeur dans les idées qui vont suivre. Utilisez-les pour donner à votre maison un tout autre aspect ou simplement pour renforcer un thème décoratif déjà présent.

Récemment une amie qui me rendait visite m'a demandé si elle pouvait voir mes pochoirs. C'était là un véritable compliment : sans s'en apercevoir, elle venait de passer devant quelques-unes de mes créations.

La dernière partie du livre donne des explications : quels matériaux utiliser, comment appliquer les couleurs et découper vos pochoirs. Si vous êtes tout à fait novice en la matière, il vaut peut-être mieux lire ce chapitre avant de vous lancer dans de grands projets. Et même si vous avez déjà fait vos premières armes, ce ne sera pas inutile. Mais n'oubliez pas, avant de rechercher une source d'inspiration, que les œuvres d'autrui sont protégées par des droits d'auteur.

Il ne vous reste plus à présent qu'à prendre votre pinceau, choisir vos couleurs et vous lancer dans l'aventure.

*La transparence d'une serre se parera d'une touche colorée et chatoyante si on la décore de motifs bariolés.*

Chapitre 1

# PLACE AU ROMANTISME

*Vous aimez la poésie et les histoires romanesques? Vous adorez les volants et les ruches, les vieilles dentelles et les rubans, les fleurs séchées – souvenir de votre bouquet préféré – et les photographies ou les boucles de cheveux enfermées dans un médaillon? C'est que vous avez l'âme romantique.*

*PAGE PRÉCÉDENTE :*
*Cette chambre à coucher présente toutes les caractéristiques du romantisme : vieilles poutres, tissus drapés, fleurs fraîches et angelots dorés penchés vers les oreillers. Ajoutez-y des décorations au pochoir et elle deviendra un appel au rêve.*

Autrefois, toute dame respectable avait son boudoir. C'était une pièce décorée selon ses goûts, où elle conservait tous ses trésors. Elle pouvait s'y asseoir et y lire des poèmes, s'adonner à la broderie ou à l'aquarelle tout en s'abandonnant à ses rêves.

Peu d'entre nous aujourd'hui disposent d'une pièce privée. Mais les décorations au pochoir vous permettront de donner à votre intérieur cette touche personnelle.

Il n'est pas de pièce qui s'y prête davantage que la chambre à coucher. Vous pourrez y laisser libre cours à votre naturel romantique. Faites danser une guirlande de fleurs au niveau du plafond et ajoutez une bordure plus mince, aux motifs assortis, à hauteur de la cimaise. Décorez de motifs assortis des abat-jour qui rayonneront d'une lumière très douce.

Vous pouvez acheter à peu de frais des monceaux d'étamine qui, agrémentés de motifs au pochoir, donneront à votre chambre une atmosphère douce et rêveuse. Drapez-les simplement au-dessus de votre lit sur des tringles suspendues au plafond, ou façonnez-les en bouillons et en nœuds.

Les fenêtres aussi offrent de nombreuses possibilités. Achetez un tissu uni que vous décorerez de façon per-sonnelle en l'harmonisant au style de la chambre. Vous pourrez en faire soit de simples rideaux, soit des stores de fantaisie. Dessinez sur l'étamine des rubans, des papillons et des fleurs. Appliquez sur l'étamine une peinture pour tissus d'un blanc crémeux et vous aurez un aspect de dentelle ancienne. Le résultat sera sensationnel une fois le tissu suspendu à des tringles en cuivre.

*Ici, on a utilisé de la peinture pour tissu afin de dessiner au pochoir sur des envolées d'étamine une série de roses. Le tissu est tellement léger que le dessin semble flotter dans la brise.*

*Quoi de plus banal qu'un sachet de pot-pourri? Un motif au pochoir, quelques rubans et dentelles et le voici romantique à souhait. Voilà un cadeau idéal pour un ami très proche. Décorez de la même façon des oreillers remplis d'herbes qui vous feront sombrer en douceur dans le sommeil.*

*La tête et le pied de ce lit ont été décorés d'une couronne en forme de cœur composée de fleurs pâles entremêlées de rubans. Les taies d'oreillers sont ornées de motifs assortis.*

Pourquoi ne pas s'attacher aux meubles de la chambre à coucher? Dessinez un motif floral au sommet de votre coiffeuse, et reprenez le motif en miniature sur les faces des tiroirs. Même les boutons des tiroirs peuvent s'orner de minuscules fleurs ou de cœurs. Les portes de votre garde-robe peuvent s'enjoliver de dessins, tout comme les panneaux du lit. Si vous avez un lit moderne, sans tête et sans pied, rien ne vous empêche de fabriquer vous-même ces éléments. Imprimez des motifs au pochoir sur de grands coussins que vous suspendrez à l'aide de rubans à une barre en cuivre ou en bois fixée derrière le lit.

*Les commodes, anciennes ou modernes, sont une base idéale à décorer au pochoir. Cette commode en pin a d'abord été décapée, puis les faces de tous les tiroirs ont été ornées de motifs au pochoir. Le motif floral grimpant se répète sur les rideaux et chacun des tiroirs en d'harmonieuses variantes.*

En décorant des tissus au pochoir, vous pourrez créer votre propre linge de lit. Quoi de plus joli qu'un motif sur vos oreillers, et des petits bouquets de fleurs sur les draps ou la housse de couette?

Bien des détails ajouteront à votre intérieur une touche romantique. Enjolivez de motifs des petits cadres, des abat-jour et même vos vêtements de nuit. C'est tout à fait réalisable et cela constituera la touche finale.

Dans la salle de bain également vous pourrez vous abandonner à votre âme romantique. Une salle de bain présente souvent un aspect froid; adoucissez-en donc l'apparence en peignant les murs selon une technique spéciale : la peinture au chiffon ou à l'éponge est une base extraordinaire à la décoration au pochoir, à laquelle elle donne de la profondeur.

Accrochez au mur un simple miroir ovale, et entourez-le d'un joli motif floral, dont quelques-unes des fleurs pourront déborder sur la glace. Décorez vos murs de dessins suspendus à des nœuds et des rubans décorés de motifs au pochoir. Utilisez ce même motif en bordure sur les murs à hauteur de cimaise.

Si votre baignoire est entourée de bois, vous disposez d'une surface supplémentaire pour vous adonner à votre passe-temps. Si vous avez la chance de posséder une vieille baignoire pansue, vous pourrez illustrer ses flans. Et pourquoi ne pas y ajouter la douceur d'un tapis de bain matelassé? Il sera réalisé simplement dans un tissu décoré au pochoir, doté d'une doublure antidérapante et d'un rembourrage.

Les sources d'inspiration romantique ne manquent pas : cartes d'anniversaire, papiers d'emballage et images anciennes. Vous possédez peut-être une broche ou un morceau de dentelle que vous affectionnez et dont vous voudrez vous inspirer.

*Une vieille carte postale illustrée ou une photo de famille sera ravissante dans un cadre ovale, surtout si celui-ci est décoré de fleurs. Vous pourriez aussi dessiner un motif floral et imprimer sur l'encadrement une version miniature de ce dessin.*

Prenez votre temps et établissez la liste des choses que vous trouvez romantiques. En même temps faites la liste des couleurs que vous associez à cette atmosphère. Cela vous permettra d'établir votre combinaison de couleurs personnelle. Peut-être préférez-vous des couleurs douces et tendres bleu pâle, rose, crème, abricot ou lilas, ou bien des couleurs plus chatoyantes tels le vert émeraude, le bleu vif ou le rose éclatant.

Ne l'oubliez pas, c'est votre œuvre, c'est donc à vous de prendre les décisions. Le choix vous appartient.

*Le muguet représenté ici ferait une ravissante frise sur les murs d'une chambre à coucher. Pour créer la variété, vous pourriez utiliser le pochoir tour à tour dans un sens et dans l'autre. Les pois de senteur recueillent tous les suffrages et constituent une décoration idéale sur le linge de lit. Les petits bouquets seront dispersés sur la housse de couette, tandis que seules les têtes de fleurs décoreront les taies d'oreiller.*
*Le chèvrefeuille peut être divisé en deux éléments distincts. Dessinez les fleurs en bouquets autour des murs et les rubans autour de la tête de lit. Le dessin entier pourrait être utilisé pour encadrer une jolie image. Le cœur, les rubans et les pensées décoreraient joliment de petites boîtes à souvenirs.*

# PLACE AU ROMANTISME

*Ce joli dessin de fleurs en forme de cœur est idéal pour une porte de chambre à coucher. Pourquoi ne pas écrire au pochoir, à l'intérieur du cœur, le nom de son occupant? Ou encore utiliser ce motif pour orner une carte de mariage ou d'anniversaire de mariage en y inscrivant au centre le nom du couple? Un double nœud imprimé sur le mur juste au-dessus d'un tableau ou d'un miroir lui conférera un aspect très personnel. Quant à ce lys exotique, il pourrait former une magnifique bordure autour d'une baignoire et le motif pourrait être repris tête-bêche au-dessus du lavabo et du miroir. Un simple ruban dessiné au pochoir au niveau où l'on accroche les tableaux, ou autour de votre collection de photos préférées, donnera une touche de charme à votre intérieur. Et, pour un look tout à fait romantique, n'oubliez pas d'orner d'un dessin vos draps et vos taies d'oreiller.*

*Le motif de roses et de feuilles ornera parfaitement les tiroirs. Dessiné au pochoir en couleur crème sur une étamine, ce motif imite à ravir la dentelle. Il serait ravissant d'imprimer à hauteur de cimaise une simple bordure florale, en l'enjolivant de quelques fleurs éparpillées. Décorez d'un rameau fleuri des tentures toutes simples avec des attaches assorties. Le motif de pâquerettes serait idéal autour d'une porte de chambre à coucher. Cœurs et fleurs constituent toujours un symbole romantique et conviennent donc à merveille pour décorer papier d'emballage et cartes destinées à ceux que vous chérissez.*

Chapitre 2

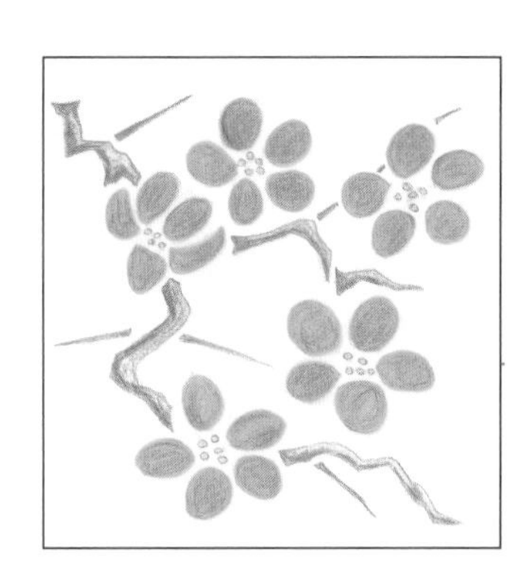

# EXOTISME ORIENTAL

*Soies somptueuses, ganses et glands; kimonos, montagnes enveloppées de brumes; animaux mythiques et fleurs flamboyantes. Ce ne sont que quelques-unes des images évoquées par l'exotisme oriental. D'autre part, des meubles dépouillés et une décoration réduite au minimum évoqueront ce style très sobre. L'Orient a toujours constitué une énigme, une contrée respirant le mystère et le merveilleux.*

*PAGE PRÉCÉDENTE : Trois motifs de légende, le héron, l'arbre et le chrysanthème ont transformé une simple table noire en un sensationnel meuble oriental. Les motifs ont été peints en blanc avant d'être mis en couleur. Pour donner plus de profondeur, on peut légèrement décaler le pochoir lorsqu'on peint les feuilles.*

Lorsque autrefois les explorateurs ouvrirent la route du commerce avec l'Orient, ils introduisirent en Occident une abondance d'images nouvelles et étonnantes. Imaginez-vous découvrir pour la première fois des kimonos et des soies aux dessins exquis, des boîtes magnifiquement laquées, des pots et des vases orientaux et de nouvelles variétés de fleurs chatoyantes.

Les Japonais étaient passés maîtres dans l'art du pochoir. Il subsiste quelques exemples de leurs pochoirs et des objets qu'ils décoraient. Ceux-ci sont encore aujourd'hui très prisés.

Les dessins orientaux sont de deux styles. L'un est hautement décoratif et l'autre très sobre, ne disposant dans une pièce qu'un ou deux beaux motifs. Ce second style siérait à merveille à de nombreux intérieurs modernes aux lignes épurées et aux meubles lisses.

La salle de bain est l'endroit idéal pour se livrer à son envie de créer. Dessinez au pochoir autour de la baignoire une bordure de nénuphars et ajoutez des libellules aux tons métalliques. Et pourquoi pas un poisson évoluant dans l'onde? Vous obtiendrez un résultat extraordinaire en utilisant les trois motifs : le poisson sous l'eau, les nénuphars flottant à la surface et les libellules dans les airs.

Si vous éprouvez une certaine anxiété à l'idée d'introduire ce style dans votre maison, commencez en décorant de somptueux coussins de fleurs exotiques. Les motifs floraux sont merveilleux, éparpillés sur un canapé ou des fauteuils, ou encore éclatant en un somptueux bouquet.

L'éventail est l'un des motifs favoris de l'Orient et peut s'adapter de mille et une façons pour décorer votre intérieur. Façonnez un pochoir représentant un éventail. Point n'est besoin

*Cette boîte en bois a été enduite de plusieurs couches de peinture marron avant d'être décorée de motifs orientaux; la libellule a été ajoutée à l'aide d'une peinture acrylique d'un or métallisé. Cette boîte serait aussi très belle avec un fond noir ou un bleu lumineux.*

*Ces coussins ont été décorés au pochoir de motifs floraux dans une gamme de couleurs chatoyantes qui illuminent un fauteuil-paon en osier et constituent un moyen facile de donner à votre intérieur une touche orientale. Si vous le souhaitez, utilisez pour les housses de la soie ou un calicot écru.*

*Sur les faces de cette lanterne, les poissons semblent nager dans les airs et deviennent lumineux lorsque la lampe est branchée. Libre à vous de fabriquer cette lampe vous-même, mais prenez soin d'utiliser les matériaux adéquats.*

qu'il soit compliqué, quelques lignes suffisent pour obtenir l'effet désiré. Mettez ces lignes en couleur puis dessinez un motif dans l'espace intérieur. Cette forme sera aussi l'occasion idéale d'utiliser la technique du pochoir tête-bêche. Des éventails de différents formats formeront alors des motifs sur vos meubles, murs et tissus.

Exercez vos talents sur des coussins destinés aux fauteuils en vannerie de votre jardin ou de votre serre. Vous en accentuerez le style en les entourant de plantes et de fleurs exotiques.

Des motifs très simples viendront orner des stores à enrouleur ou des stores vénitiens et tamiseront la lumière.

Prenez un plateau de bois, peignez-le en noir et dessinez en doré vos motifs préférés. Ajoutez plusieurs couches de vernis et il ressemblera à s'y méprendre à un objet laqué. Vous aurez certainement envie ensuite de vous attaquer à un vrai meuble : une table, une commode ou un coffre.

*CI-CONTRE : Quoi de plus oriental et magique que le dragon? Dessiné ici en un noir dense sur fond blanc, il est joliment mis en valeur par le motif de vagues qui surmonte les plinthes.*

*CI-DESSOUS : Ici on a utilisé deux pochoirs, l'un pour les colonnes et l'autre pour les arcs. L'effet de mosaïque contraste violemment avec le motif de fleurs exotiques qui orne le jeté de lit.*

La soie décorée au pochoir permet d'habiller votre intérieur de draperies murales exotiques. Réalisez une série de tentures décorées de fleurs pour votre salle de séjour ou créez de petites scènes sur la table de salon. Libre à vous de les dessiner directement sur les murs ou encore d'illustrer un kimono de soie de votre motif oriental préféré.

Si vous vivez dans un décor très dépouillé, votre approche sera très différente. Un magnifique ikebana, un bonsaï ou une délicate figurine peuvent à eux seuls décorer toute une pièce, surtout s'ils sont mis en valeur par la lumière d'un spot.

Les sources d'inspiration sont innombrables. Dénichez chez votre libraire des livres sur l'art, la poterie ou les jardins orientaux. Feuilletez un livre sur l'art de l'ikebana et vous vous retrouverez en train de créer un arrangement floral qui aura l'avantage de ne nécessiter aucun soin et de ne pas se faner. Les livres de tourisme fournissent eux aussi une profusion de détails architecturaux dont vous tirerez des formes géométriques simplifiées.

Les idéaux décoratifs orientaux sont basés sur un monde naturel plein de grâce; vous ne manquerez donc pas d'y trouver un dessin qui enjolivera votre intérieur.

*Le héron est un motif typiquement oriental et ferait, je pense, une spectaculaire draperie murale avec une bordure florale ou géométrique. Vous pouvez aussi le destiner à "courir" le long du cadre de votre baignoire.*
*Les libellules forment à elles seules une bordure étonnante mais peuvent également se mêler à l'un des motifs floraux, qui les fera ressortir en leur donnant vie. Des couleurs métallisées donneront à ces insectes plus de mouvement. Le motif de bambou pourrait habiller des tentures et une petite bordure assortie dans une gamme de verts aura un effet calme et apaisant.*
*Le poisson pourrait nager paresseusement le long des murs de votre salle de bain mais pourquoi ne pas étonner en le dessinant sur une table de salon vitrée avec de la peinture en bombe?*
*La double bordure de fleurs et de feuilles pourrait souligner simplement de plus petites créations.*

EXOTISME ORIENTAL

*Donnez à vos draps et taies d'oreiller un aspect nouveau : imprimez-y des chrysanthèmes dans les tons orange et rouges typiquement orientaux. Ou encore faites de ces thèmes de vrais tableaux. Dessinez au pochoir le motif sur une feuille de papier de riz en utilisant des couleurs vives, puis ajoutez l'un des symboles en noir. Dessinez des nénuphars en noir et blanc dans la salle de bain ou dans des tons naturels sur une série de coussins. L'hibiscus siéra parfaitement à un kimono de soie tandis que les symboles plus masculins pourraient orner une robe de chambre.*

Chapitre 3

# CHARME RUSTIQUE

*Des bûches dans une cheminée; un soufflet et des pinces; un fauteuil à bascule et des tabourets; des fleurs, fraîches ou sèches; des tapis aux couleurs vives sur des planchers en bois vernis et des couvertures en patchwork. Ajoutez à cela le lent tic-tac d'une horloge murale et vous ne manquerez pas de rêver au calme paisible de la campagne.*

*PAGE PRÉCÉDENTE :*
*De vieilles poutres, un large foyer doté d'un poêle à bois, des bûches et un vieux fauteuil à bascule contribuent à créer une atmosphère accueillante dans une chaleur confortable. Quelques œuvres au pochoir souligneront cette impression.*

Chacun rêve d'un havre de paix, que ce soit un cottage anglais agrémenté d'un jardin, un chalet de montagne en Savoie, une maison de pêcheur ou une cabane de bois au Canada.

Malheureusement, transformer ce rêve en réalité n'est pas chose facile – en raison de la distance notamment. Mais le pochoir vous permettra d'introduire des petits détails qui mettront en valeur votre intérieur et y ajouteront l'illusion de la vie à la campagne et de ses charmes.

Le pochoir était très populaire en Amérique à l'époque des pionniers. Des artisans itinérants spécialisés dans le travail au pochoir sillonnaient villes et villages afin d'y exercer leur talent. En se servant de peintures de leur propre fabrication, ils décoraient les murs des maisons des colons de motifs appréciés à l'époque. Des inséparables roucoulant sur une branche, des arbres stylisés et des ananas, traditionnel symbole de l'hospitalité, étaient peints au pochoir sur les murs et les ustensiles métalliques. A cette époque, les objets décoratifs étaient rarissimes : chaque chose devait avoir une utilité. Mais chacun usait de la décoration au pochoir faite maison et bon marché, tandis que de rares objets de fantaisie arrivaient par le train.

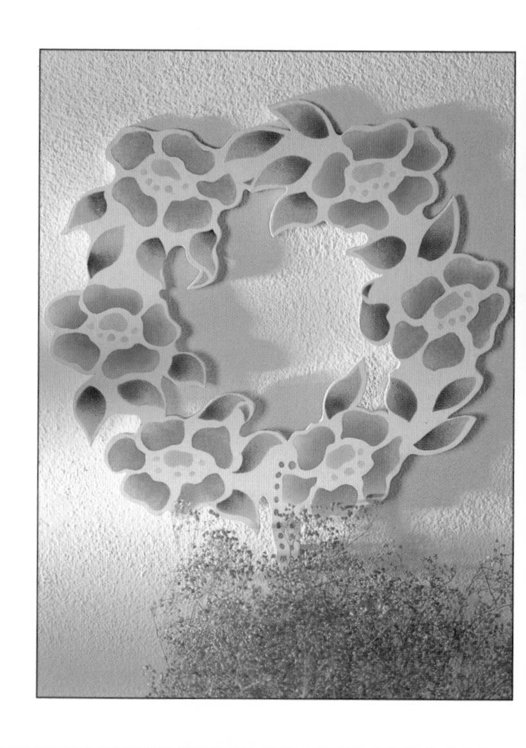

*Cette charmante décoration murale est très facile à réaliser : il suffit de dessiner un motif floral circulaire sur un morceau de contre-plaqué. Les bords intérieurs et extérieurs sont découpés à l'aide d'une petite scie. On peut réaliser de la même façon d'autres motifs et, en conservant la partie centrale, obtenir de très originaux sets de table.*

*Des murs délavés, joliment décorés au pochoir de petites fleurs, rappellent délicieusement le style chaumière campagnarde. Et si vous avez de l'ambition, pourquoi ne pas imprimer des motifs assortis sur vos objets de porcelaine?*

La clef du charme rustique est la simplicité. Et il n'y a pas de meilleur choix que de commencer par décorer au pochoir les tissus qui habilleront votre intérieur. Décorez des panneaux de mousseline de fleurs et de papillons; dessinez des fleurs stylisées sur vos coussins ou vos housses de canapé et de fauteuils; faites une couverture en patchwork en dessinant au pochoir une suite de motifs sur un grand morceau de tissu que vous piquerez ensuite à la main ou à la machine. Si cela vous paraît trop ambitieux, utilisez la même méthode pour fabriquer une série de coussins.

*Inséparables, cœurs et arbres stylisés sont typiques du charme rustique et constituent une décoration parfaite pour cette simple malle à linge.*

Envisagez à présent la manière dont vous pourriez transformer vos meubles. Les fauteuils à bascule appellent les décorations au pochoir, tout comme les tables de salle à manger. Créez vos œuvres à même la chaise ou fabriquez des housses en tissu uni que vous pourrez enjoliver ensuite. Il peut être intéressant d'acheter un tissu rayé et de dessiner des petits motifs soit sur les rayures, soit entre elles. Si vous avez une cheminée, pourquoi ne pas l'entourer d'un motif très simple? Ne disposez pas les motifs en ligne droite mais faites-les ondoyer par endroits. Dans le cœur de la cheminée vous pourriez créer un cercle à l'aide d'un motif et imprimer en son centre des initiales ou des dates qui lui donneront un air ancien.

*Ce vieux fauteuil à bascule a beaucoup servi comme le prouve son siège brillant et il se prête idéalement à cette décoration très simple de fleurs et de feuilles.*

Intéressez-vous à l'extérieur de l'habitation et composez une plaque portant le nom ou le numéro de votre maison. Disposez-la sur la barrière, le porche ou la porte et dessinez un motif assorti sur votre boîte aux lettres.

Réfléchissez aux tons que vous allez utiliser. Regardez la photographie au début de ce chapitre, vous verrez que la cheminée est décorée de glands et de feuilles de chêne aux couleurs automnales. Imaginez la différence avec un motif printanier, dans des coloris bleus, roses et vert feuillage.

Promenez-vous sur un sentier de campagne au printemps et l'inspiration vous viendra en abondance : primevères, campanules, jonquilles sauvages et boutons aux frais coloris. Parcourez le même chemin en été, en automne et en hiver et vous ferez une profusion de découvertes qui stimuleront votre imagination : Digitales, bleuets et coquelicots, feuilles tombées et branches hivernales dénudées conviennent tous à la décoration au pochoir.

S'il vous est difficile de parcourir la campagne, feuilletez livres et magazines concernant la nature. Dénichez des livres sur l'artisanat et les usages anciens ou encore des ouvrages illustrés de fleurs et d'herbes sauvages.

Quelques dessins au pochoir et vous donnez à votre rêve campagnard une nouvelle réalité, à votre maison une atmosphère accueillante.

*Cette corbeille en bois a été peinte en bleu à l'aide de peinture pour bois et décorée de feuilles de lierre et de fleurs. A présent, elle est non seulement utile pour ramasser des fleurs dans le jardin mais elle constitue aussi un élément décoratif qui accueillera des fleurs séchées.*

*La couronne de fleurs et de feuilles viendra enjoliver de simples carrelages ornant votre cuisine ou votre salle de bain, mais n'oubliez pas de les vernir.*
*Feuilles de chêne et glands constituent un merveilleux thème décoratif pour vos tentures d'hiver ou un tapis.*
*La feuille d'érable et les "hélices" orneront un mur très simple dans une pièce qui ne nécessite que peu de décoration, ou encore égaieront les murs d'une chambre d'enfant.*
*N'oubliez pas de dessiner au pochoir les traits à côté de chaque motif; ils lui conféreront une sensation de mouvement.*
*Les carrés de patchwork sont idéaux pour ceux qui ne sont pas doués pour la couture mais souhaitent réaliser quelque chose de vraiment traditionnel.*
*Utilisez-les pour réaliser des couvertures, des coussins et même pour recouvrir les boîtes de rangement en bois de votre cuisine.*

# CHARME RUSTIQUE

*Une délicate bordure de fleurs en boutons sera ravissante autour d'une petite fenêtre ou sur un coussin. Si vous ornez des appliques murales, faites déborder sur les murs le lierre et toute autre décoration florale. Vous pouvez aussi agrandir le dessin et en faire une étonnante bordure sur le plancher. Découpez une forme pour la feuille qui constituera le motif principal et une autre pour la couleur intérieure. La bordure de fleurs minuscules décorera de petits tableaux ou le bord d'une petite table.*
*Décorez votre cheminée de coquelicots et d'épis en disposant un motif de chaque côté du foyer, puis faites un rappel de la fleur et des épis ailleurs dans la pièce.*

# CHARME RUSTIQUE

*Un couple d'inséparables décoreront à merveille les tentures de votre chambre, ou seront un symbole d'harmonie à l'entrée de votre maison. Le joli dessin floral circulaire décorera les murs de la salle de séjour, tandis que le chatoyant panier de fleurs trouvera sa place sur la porte de la cuisine. Le coq et la poule conviennent très bien eux aussi à une cuisine. Faites-en une bordure à la limite supérieure des carrelages muraux. Des petits rideaux de bistrot peuvent être décorés de motifs assortis, ainsi que les petits ustensiles de cuisine et des pots.*

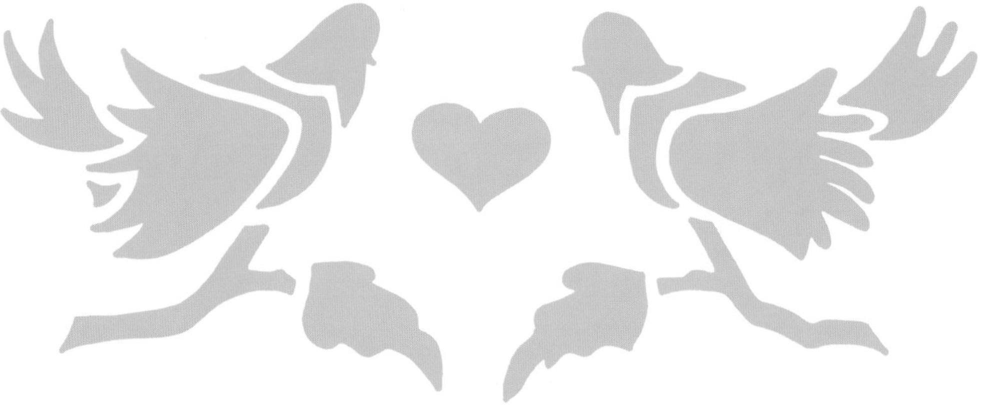

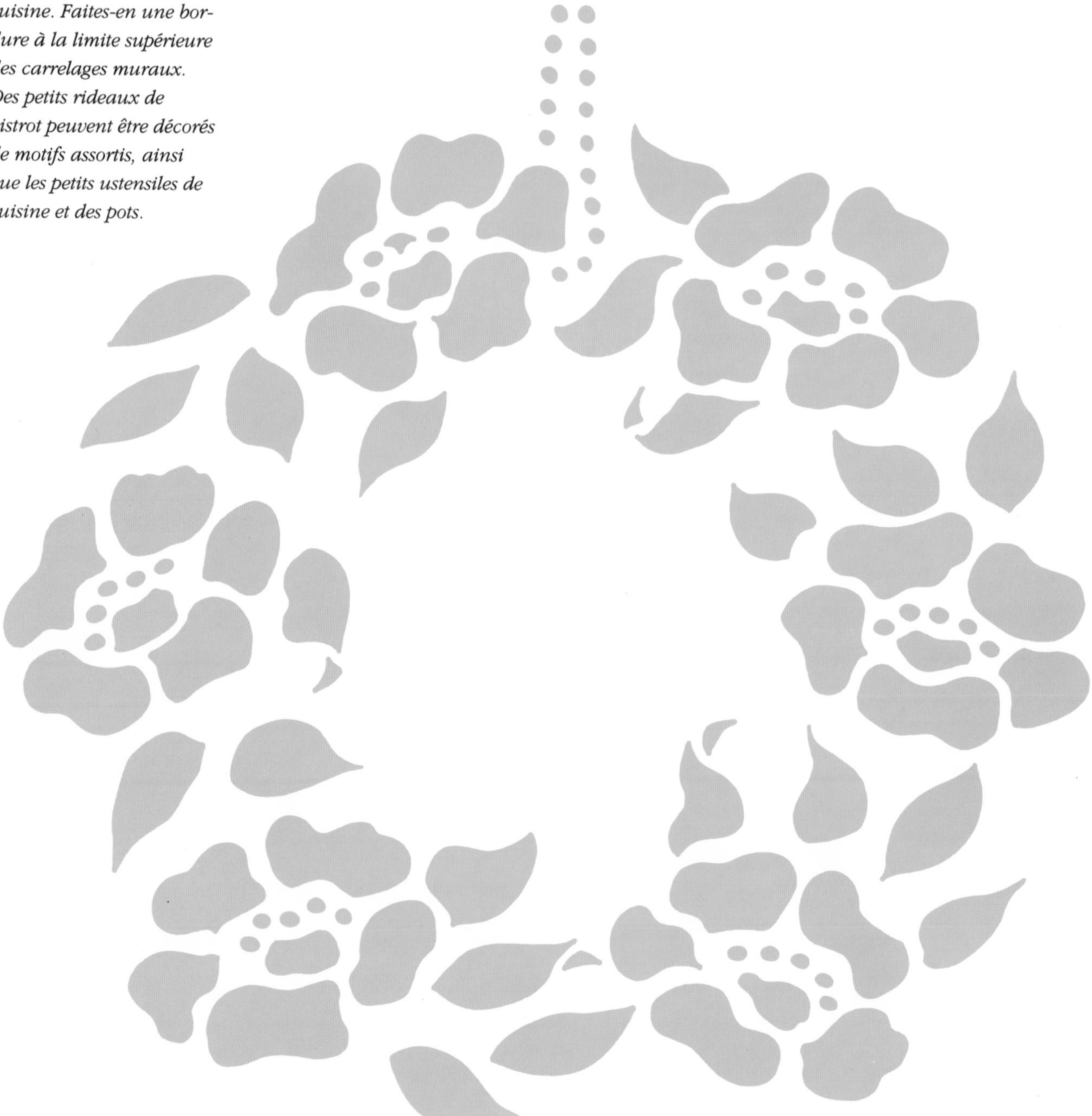

Chapitre 4

# AU ROYAUME DE L'ENFANCE

*Ours en peluche et poupées; jeux de construction et cerfs-volants; hochets et cheval à bascule; animaux vêtus comme des humains; animaux parlants. Pour les enfants, tout est possible, et c'est dans leur univers qu'il vous faudra pénétrer pour décorer avec succès la chambre de votre bambin.*

*PAGE PRÉCÉDENTE :*
*Voici une chambre d'enfant qui stimulerait l'imagination de n'importe quel chérubin. Les jouets y sont nombreux et tous les murs sont décorés au pochoir de dessins aux couleurs vives.*

*Les oursons suspendus à des ballons de couleurs chatoyantes constituent un choix idéal pour ce lit d'enfant. La taille du motif est variable. De simples ballons dessinés sur les étroits panneaux latéraux attirent le regard par leur variété de couleurs.*

Lorsque vous décorez la chambre de votre enfant, rappelez-vous que vous le faites non pas pour vous mais bien pour lui. Essayez de lui offrir un environnement stimulant que vous pourrez transformer lorsqu'il grandira.

Combinez des murs pâles avec des créations au pochoir de couleurs vives. Tous les dessins proposés ici peuvent être colorés de façon éclatante. Les fleurs qui courent le long des murs peuvent passer du rose le plus pâle à un rouge profond et un bébé lapin pourra être revêtu d'une veste différente à chacune de ses apparitions. Pourquoi ne pas laisser libre cours à votre imagination en posant sur le mur des chats bleus, rouges ou même verts? Si l'image est stimulante, cela ne dérangera en rien votre bébé!

Dessinez une bordure amusante à mi-hauteur, de telle sorte que bébé la voie de son lit ou placez une bordure ou un certain nombre de motifs près du sol, juste au-dessus des plinthes. Après tout, bébé passera une grande partie de son temps à admirer le monde à cette hauteur.

En vous servant des lettres de l'alphabet proposées dans le chapitre *Festivités*, écrivez le prénom de bébé sur le mur au-dessus du lit ou encore à même le lit. C'est une bonne idée lorsqu'on a plusieurs enfants : elle permet de personnaliser chaque lit, chaque coffre à jouets. Il y a bien sûr d'autres objets à décorer dans une chambre d'enfant en dehors des murs et des meubles. Pourquoi n'illustreriez-vous pas portes et abat-jour ou ne fabriqueriez-vous pas un mobile coloré ou un tapis décoratif?

*À GAUCHE : J'ai baptisé cette bordure "Découvrez la reine des grenouilles", car seule l'une des grenouilles porte une couronne. Voilà un jeu d'imagination pour un enfant un peu plus grand, d'autant plus que vous pouvez recouvrir de peinture la couronne et la déplacer de tête en tête au gré de votre humeur.*

*CI-DESSOUS : Ce mobile très simple est fait de carton, de légères baguettes en bois et de fil. Les visages des clowns et les ballons sont peints sur les deux faces. Ce jouet est fait pour être admiré par votre bébé et non pas mordillé. Suspendez-le donc hors de portée de ses petites mains.*

Votre enfant grandit : vos pochoirs se font jeux. Une toise fixée au mur est toujours très amusante. Et une horloge aux aiguilles mobiles lui permettra d'apprendre à lire l'heure. Vous pouvez créer un jeu de calcul en dessinant autour de la pièce, à la hauteur de votre choix, une bordure représentant une fleur, deux chats, et trois canards. Une autre idée éducative : dessinez sur le mur une lettre suivie d'un objet dont le nom commence par cette lettre. Par exemple la lettre M suivie d'un dessin représentant une maison ou un moulin. Et si vous avez de l'ambition, pourquoi ne pas créer une affiche sur un grand morceau de carton en utilisant l'alphabet entier? Nul doute que vos enfants trouveront ces jeux de calcul et de devinettes très amusants!

*Des poupées jouent à cache-cache dans un coffre à jouets. Le coffre est orné de lapins, garçons et filles. Les couleurs de leurs vêtements changent à chaque motif. Une file de canards jaunes court à la base de la malle, ponctuée de jolies fleurs aux couleurs vives.*

Toute la décoration de la chambre ne doit pas avoir un but éducatif. Si votre enfant a un jouet préféré, faites-en la base de la décoration. Une poupée se promènera autour de la chambre, un petit train parcourra monts et vallées en crachant des petits nuages de fumée. Au plafond, des étoiles et la lune.

En grandissant, votre enfant apprend à aimer les contes de fées. Blanche-Neige et les Sept Nains, le Petit Poucet et Cendrillon sont autant de thèmes possibles.

Pour trouver vos sources d'inspiration, jetez un coup d'œil dans votre bibliothèque locale ou dans les livres d'images que vous possédez. Ne vous inquiétez pas trop quant à vos aptitudes pour le dessin : un ours ou une poupée stylisés auront pour un jeune enfant la même portée que l'objet réel.

Etablissez la liste de toutes les choses que vous associez à l'insouciance de l'enfance, même si elles semblent dénuées de sens. Vous pourriez faire tournoyer une ronde de cerfs-volants, de bicyclettes ou de tambours. Et certains de vos livres d'enfants favoris réveilleront votre imagination. Par exemple, il est surprenant de constater l'importance donnée à la nourriture dans les livres pour enfants. Des tranches de gâteau, des brioches dégoulinantes de crème, seront toujours appétissantes.

Les animaux sont aussi un sujet im-

*Rubans et nœuds conviennent à merveille pour une chambre de petite fille, et ce dessin lui plaira pendant de nombreuses années.*

portant, des fauves de la jungle surgissant au milieu des broussailles, aux chats pourchassant les papillons. Le cirque, les vacances et les jeux sont d'autres thèmes populaires. Vous le voyez, trouver des idées ne pose vraiment aucun problème.

Naturellement, ce qui a la faveur des enfants aujourd'hui sera peut-être rejeté demain, mais le pochoir est une méthode peu onéreuse pour mettre la décoration au goût du jour. On peut aussi créer une chambre d'enfants pleine de nostalgie, avec des chevaux de bois, des soldats de plomb ou des cordes à sauter. Il est des images que vous et votre enfant voudrez conserver à jamais. Après tout, ne serait-il pas merveilleux pour votre enfant d'atteindre l'âge adulte en gardant le souvenir de sa chambre d'enfant, décorée au pochoir avec amour et tendresse?

*Ces petits lapins deviendront des amis pour vos enfants; laissez-les donc choisir les couleurs de leurs vêtements. Faites une forme différente pour les yeux, l'intérieur des oreilles, le nez et les boutons. La coiffe ferait une jolie bordure dans une chambre de petite fille, tandis que les chaussons pourraient être peints en bleu ou en rose. Le chat est idéal sur les plinthes dans une chambre d'enfant, mais vous pourriez aussi avoir envie d'en décorer votre salle de séjour (près de la cheminée) ou votre cuisine (près de la porte du jardin). Les clowns, au visage rieur, seront parfaits dans une pièce très colorée.*

*Pour que votre bébé ait quelque chose à admirer lorsqu'il rampe sur le plancher, dessinez sur le mur à la hauteur des plinthes une rangée de pots de fleurs. Une plante plus grande pourrait servir de toise, et vous pourriez y ajouter fleurs et tiges au fur et à mesure que votre enfant grandit. Vous pourriez aussi personnaliser le petit personnage en peignant son ciré de la couleur de l'imperméable et des bottes de votre enfant. Et le petit canard à tirer pourrait être de couleur différente à chaque nouvelle apparition. Les oursons suspendus à des ballons ne peuvent s'empêcher de flotter sur les murs et même voler si haut qu'ils peuvent saluer la lune! Une seconde forme est nécessaire pour le visage de l'ours en peluche. Des châteaux de sable, un seau et une pelle rappelleront à votre enfant d'agréables vacances et peuvent former une bordure au ras du sol ou décorer le mur.*

*Des cerfs-volants peuvent flotter sur les murs et s'envoler vers le plafond dans une avalanche de couleurs. Ces adorables petits cochons trotteront sur les faces d'un coffre à jouets, mais ils pourraient tout aussi bien décorer les plinthes. Les canards ont toujours beaucoup de succès auprès des enfants, qu'ils se dandinent sur les bords d'un petit tapis en coton ou sur un jeté de lit. Des sucres d'orge et des sucettes géantes décoreront parfaitement un berceau. Vous pouvez dessiner un groupe de grenouilles sur les murs ou vous en servir comme bordure.*

Chapitre 5

# MÉDITERRANÉE

*Des dauphins nageant dans une mer d'azur; une oliveraie et des lézards; des feuilles de vigne sur une terrasse ombragée; un soleil de plomb et une nuit argentée; des maisons blanches bordées de bougainvillées. Le rêve méditerranéen!*

*PAGE PRÉCÉDENTE :*
*Des murs blanchis à la chaux constituent une surface parfaite pour accueillir vos pochoirs. Cette simple vigne reflète à merveille l'atmosphère méditerranéenne et le dessin se retrouve dans une ravissante poterie.*

Qui ne rêve de vacances dans une maison blanche, nichée sur une colline couverte de cyprès, avec un balcon donnant sur une mer couleur saphir? La maison serait claire et lumineuse avec des sols carrelés, fraîche pendant le jour mais chaude la nuit. Nous ne pouvons malheureusement pas changer notre climat, mais la couleur et des créations originales au pochoir apporteront dans votre maison une part de rêve.

Le style méditerranéen est obtenu par l'usage de couleurs et de textures riches sur un fond uni. C'est le principe qu'il faudra conserver à l'esprit en élaborant nos projets.

Il est difficile d'obtenir un relief au pochoir sauf si la peinture est appliquée sur une surface en relief. Toutefois, si vous faites vos dessins sur une surface tendre, vous leur ajouterez cette troisième dimension.

Par où commencer? Probablement par les murs. Ceux-ci peuvent être peints de couleurs fraîches: blanc, bleu pâle ou aigue-marine par exemple. Vous aurez alors la base idéale pour vos créations.

*Cette chaise longue aux coussins décorés de chatoyants motifs au pochoir est une invitation à la paresse. Dans le dessin, deux styles très différents : la rigueur des imitations de carrelages de l'encadrement et l'exubérance des fleurs de bougainvillées parsemant l'intérieur.*

*À DROITE : Une rangée de bateaux aux voiles ondoyantes flotte sur une mer bleue autour d'une fraîche salle de bains.*

*CI-DESSOUS : Cinq motifs au pochoir se mêlent pour produire un effet différent. Le support a d'abord été enduit au chiffon d'une couleur à l'eau bleu pâle. Puis on a ajouté les vagues en mosaïques et les coquillages dans une peinture acrylique perlée. Le soleil et les étoiles ont été réalisés à l'aide de peintures métallisées et les dauphins à l'aide d'une peinture pour pochoir à séchage rapide.*

Choisissez une série de motifs, par exemple sur le thème nautique, et peignez une tapisserie murale directement sur le mur. Bien des gens pendent sur leurs murs des tapisseries éclatantes; pourquoi ne pas peindre la vôtre?

Une simple salle de bain sera animée par une frise de dauphins bondissants ou de poissons volants mais un dessin plus sobre en mosaïques dans un bleu profond vous mettrait de tout aussi bonne humeur.

Les Méditerranéens passent une grande partie de leur temps à l'extérieur; le jardin est donc une véritable extension de la maison. Si vous avez des chaises de jardin ou des chaises longues, vous pouvez les transformer à l'aide de nouveaux coussins décorés par vos pochoirs ou encore orner une table de jardin en bois d'un dessin rayonnant à partir du centre.

Une salle à manger ou une terrasse extérieure décorée de grappes de raisin grimpant à l'assaut des murs serait un décor de fond extraordinaire pour une agréable soirée entre amis. Le linge de table et les chaises pourraient se mettre à l'unisson, grâce à de plus petits motifs assortis.

Un parquet de bois dans un couloir est l'endroit idéal pour recevoir un motif de mosaïques. Pensez grand. Ne vous contentez pas d'une simple bordure ou d'un seul motif mais inspirez-vous des mosaïques découvertes lors de fouilles archéologiques ou exposées dans les musées.

Une chambre à coucher serait tout à fait charmante si des fleurs de bougainvillées pourpres ou roses s'accrochaient à ses murs. Drapez au-dessus de votre lit une moustiquaire décorée de motifs au pochoir et reprenez le motif sur des rideaux blancs qui danseront à vos fenêtres; vous aurez l'impression d'être transporté sous des cieux plus cléments.

N'oubliez pas les plafonds. Nuages, soleil, lune et étoiles s'imposent, surtout si vous avez la chance d'avoir des

*Une nappe ornée de grappes de raisin et de feuilles de vigne entremêlées constituera une parfaite toile de fond pour un petit déjeuner pris à l'ombre ou sur une terrasse ensoleillée.*

plafonds hauts; dans une pièce plus petite dessinez une grande plante que vous prolongerez sur le plafond pour donner une impression de hauteur.

Des stores rappellent l'atmosphère méditerranéenne et constituent une surface de choix pour vos créations au pochoir. Plantes grimpantes, oiseaux et papillons ou même lézards rendent à merveille cette ambiance.

Les vêtements achetés spécialement pour être portés en vacances sont souvent plus lumineux que notre garde-robe habituelle. Pensez-y lorsque vous choisirez les couleurs de vos pochoirs. Des taches de mer d'un bleu éclatant, le rouge orangé des vrilles de la vigne, le kaléidoscope de couleurs du coucher de soleil en Méditerranée, voilà qui vous inspirera des idées de décoration.

Les brochures touristiques représentent une autre source d'inspiration. Vos propres photos de vacances pourraient aussi vous servir de référence. Et beaucoup de livres présentent les intérieurs caractéristiques de différents pays. Vous y trouverez des styles architecturaux intérieurs et extérieurs, anciens ou modernes. Les livres sur l'archéologie, la vie sous-marine, la flore et la faune seront également une mine d'idées.

Peintres et sculpteurs ont souvent été attirés par la Méditerranée; pourquoi ne pas feuilleter et admirer des livres d'art pour apprécier les différentes impressions méditerranéennes d'artistes et leurs multiples couleurs?

*Une collection d'assiettes décorées de motifs stylisés éclaire une tablette de cheminée. Les lézards s'échappant de l'assiette sur la droite ajoutent à cette scène une touche d'humour.*

*Les lézards aux tons verts, bruns et turquoise abondent dans les pays chauds et seraient fascinants s'ils s'échappaient d'une plante en pot dans votre véranda. La bordure de grappes de raisin et de feuilles de vigne serait ravissante sur un encadrement de porte. N'oubliez pas que les feuilles de vigne changent constamment de couleur, allant du vert vif au rouge et au jaune.*
*La salle de bain est bien sûr l'emplacement privilégié pour accueillir poissons colorés, dauphins, voiliers et vagues. Mais libre à vous de placer ces vagues de mosaïques en bordure de mur ou sur le sol autour de la baignoire.*

*Les fleurs de bougainvillées s'adaptent à tout, depuis les surfaces des murs jusqu'aux matières les plus douces.*
*Coquillages et hippocampes trouvent naturellement leur place dans la salle de bain, mais vous pourriez très bien en décorer coussins et couettes. Une peinture acrylique perlée leur donnera un superbe effet chatoyant.*
*L'urne classique est un motif inhabituel au pochoir mais pourrait être à la base d'une composition à l'intensité spectaculaire. Vous donnerez au vase différents tons de terre cuite.*
*Le soleil peut être utilisé à peu près n'importe où pour dissiper la mélancolie hivernale.*

Chapitre 6

# SIMPLICITÉ

*Carrelages en damier et style dépouillé; tentures de guingan et tasses en porcelaine blanche; cristaux de neige et style Art déco. Les pochoirs ne se contentent pas d'être fleuris et romantiques. Si vos goûts vont vers les lignes nettes et sobres, bien des projets vous conviendront.*

*PAGE PRÉCÉDENTE :*
*Un motif très simple a été utilisé de différentes façons en bordure pour transformer ce meuble en une élégante armoire à jeux. Les couleurs utilisées ici lui donnent un style typique, mais une combinaison de jade et noir, bleu et or ou lilas et gris, donnerait instantanément à ce meuble une nouvelle identité.*

Après la Première Guerre mondiale, l'art, l'architecture et les objets décoratifs adoptèrent un style plus simple. De nouvelles écoles de pensée s'orientèrent vers le fonctionnel – la décoration était un effort inutile! Si un objet avait des lignes simples tout en remplissant sa fonction, il apparaissait tout à la fois comme un bel objet et une œuvre d'art! Les motifs géométriques, le verre et le chrome devinrent fréquents et la production en masse fit partie de notre économie; les objets décoratifs disparurent.

Si vous vous intéressez à ce style, vous découvrirez maintes façons de décorer votre maison à l'aide de dessins sobres et élégants. Même un adepte d'une ornementation minimale se rendra compte qu'un motif bien choisi peut devenir le point de repère d'un intérieur meublé simplement.

*L'encadrement de la porte est transfiguré par une bordure Art déco qui pourrait se prolonger le long des plinthes ou à mi-hauteur et le motif être repris seul ici et là dans la pièce.*

Les motifs du jeu d'échecs sont un bon exemple de ce style sobre. Dessinez une bordure en faisant appel à une ou à plusieurs rangées de pièces d'échecs, en fonction de la grandeur de votre pièce. Si le dessin vous convient, il vous faudra décider si vous le placerez à la hauteur de vos tringles, au milieu du mur, ou au niveau où l'on suspend généralement les tableaux. Vous pourriez évidemment dessiner cette bordure sur un plancher de bois en ajustant son format. Ce damier conviendrait à n'importe quelle pièce de la maison, mais plus particulièrement à la salle de bain, la cuisine ou la salle de jeux, en adaptant sa taille et ses couleurs si nécessaire.

*En reprenant l'idée du damier sur le sol, vous pourriez y ajouter des pièces du jeu d'échecs pour obtenir un effet noir et blanc unique et spectaculaire.*

Des motifs très simples peuvent conférer à une pièce une touche sophistiquée; c'est le cas des motifs Art déco qui combinent trois éléments différents, comme le Rialto, les demi-cercles et les angles. Dessinez au pochoir l'un de ces motifs en frise autour d'une pièce à la hauteur que vous choisirez. Coloriez les premiers – et plus grands – éléments en noir, les deuxièmes en gris et les troisièmes – les plus petits – en rose vif ou en vert jade. Avec un tapis gris, des meubles blancs ou noirs et des coussins de soies vives sur les chaises, l'effet serait toujours présent, mais les décorations au pochoir formeraient un arrière-fond qui compléterait simplement l'ensemble. Une cuisine moderne pourrait être décorée des mêmes motifs sobres. Une guirlande de roses serait ici déplacée, mais une fleur stylisée aux pétales triangulaires, à l'apparence géométrique, serait parfaite.

CI-DESSUS : *De simples stores constituent un bon support et si vous avez envie de changement vous pouvez les égayer, comme ici, avec des couleurs de friandises. Choisissez d'autres couleurs comme le noir, l'or et le gris et vous obtiendrez un tout autre résultat.*

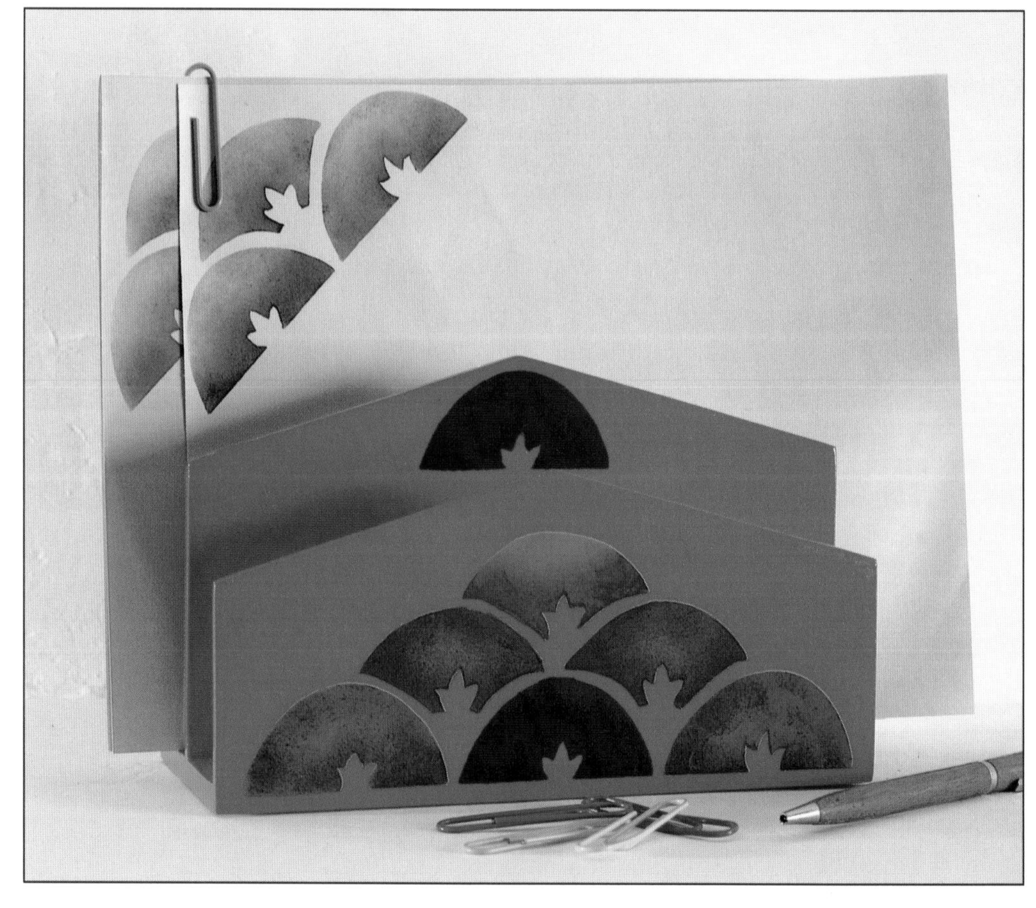

À DROITE : *Même de petits objets comme ce porte-lettres peuvent attirer le regard s'ils sont décorés d'un simple motif, que vous pourriez utiliser également pour vos fournitures de bureau. Ce sont des créations idéales pour débutants car faciles à réaliser.*

On trouve facilement des tapis décorés de formes géométriques, mais peut-être aimeriez-vous dessiner le vôtre à même le parquet. L'endroit idéal pour ce faire est la salle à manger, sous la table. Reprenez le même motif sur l'abat-jour suspendu au-dessus de la table pour constituer un ensemble harmonieux. Des motifs simples pourraient orner les bords des tentures ou même les stores.

Par ailleurs des dessins classiques comme la clef grecque pourraient plaire plus particulièrement aux hommes. Des murs blancs, du tissu turquoise et un motif bleu marine ont toujours beaucoup de style. Ou encore des murs et une literie crème agrémentés d'un motif noir et or sur les murs et les draps. Les possibilités sont infinies.

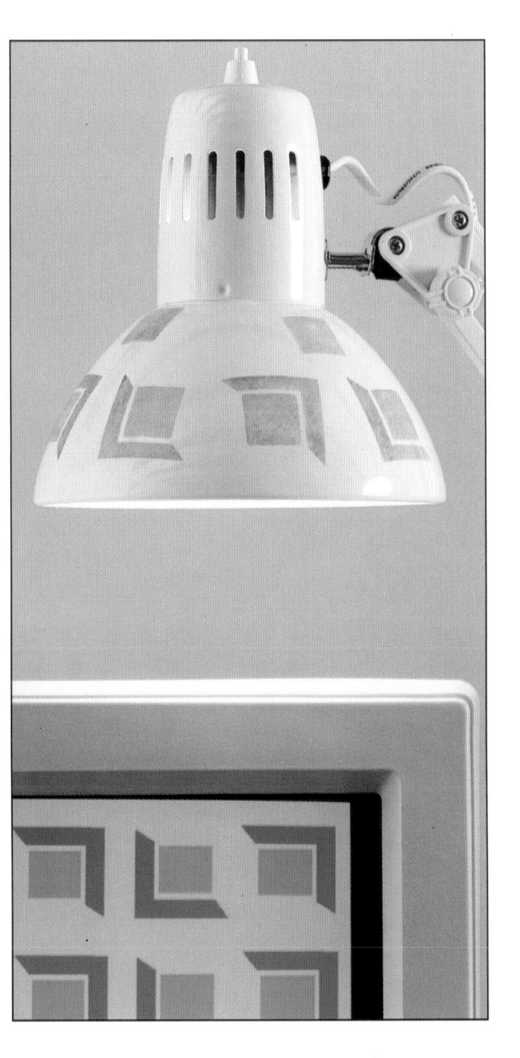

Vous trouverez des idées partout autour de vous. Des murs de briques et des toits de tuiles offrent des formes simples. Des livres sur l'architecture et l'ameublement de l'après-guerre seront d'utiles références, et les livres sur l'Art déco et le Bauhaus abondent. Peut-être possédez-vous un bijou ou un objet dont vous pourriez reprendre le motif. Si vous avez de jeunes enfants, pourquoi ne pas regarder d'un œil nouveau leurs tentatives artistiques? L'inspiration ne demande qu'à s'épanouir.

CI-DESSUS : *Un simple motif d'une seule couleur, placé sur un mur de couleur vive, produit un effet spectaculaire.*

À GAUCHE : *Un dessin sobre a rendu plus décorative cette lampe de bureau, tout en lui conservant sa ligne épurée.*

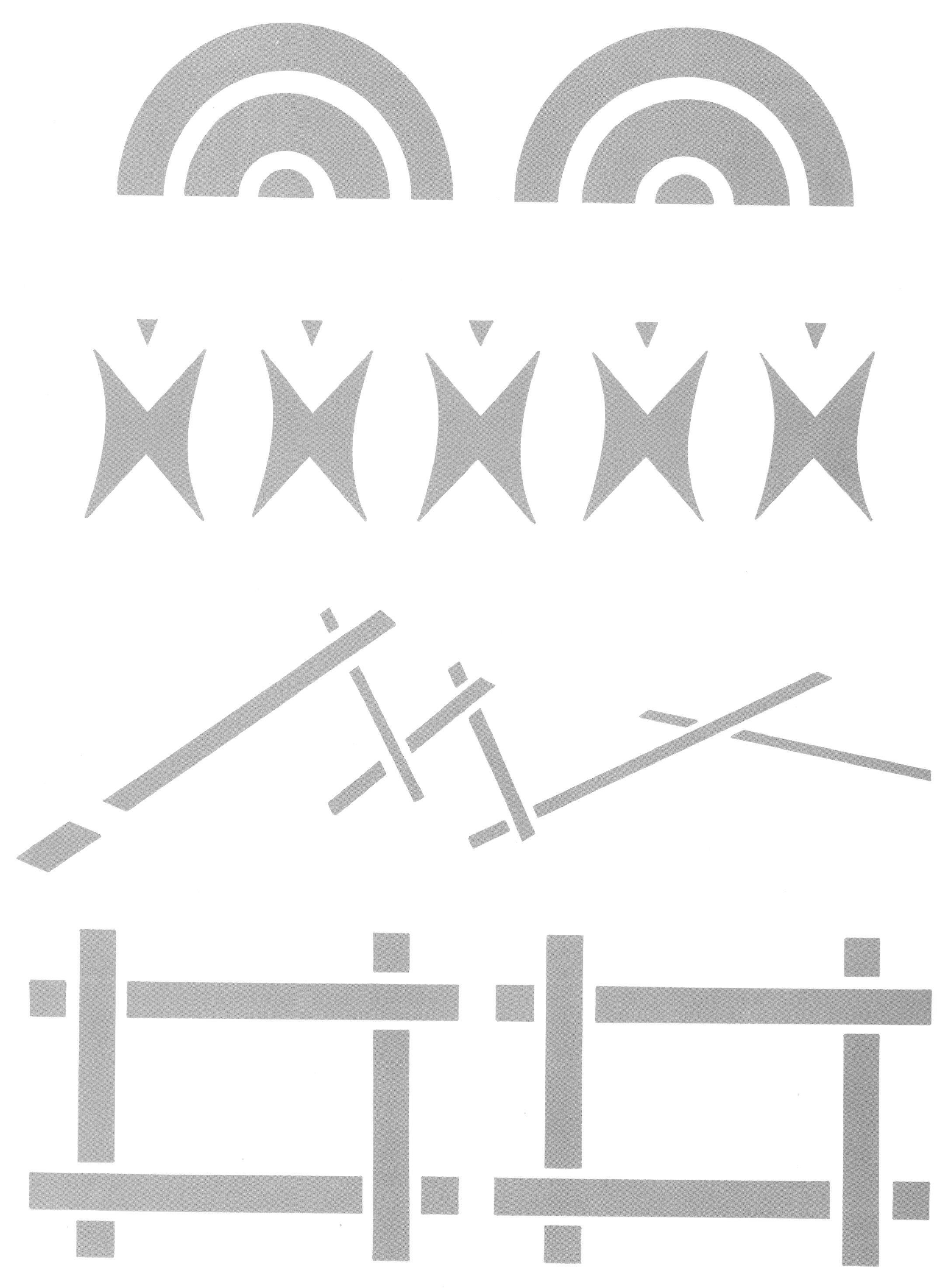

*Ces dessins conviendront à un intérieur moderne. La bordure de bâtonnets de différentes grandeurs trouvera sa place sur les tentures, les murs et les meubles. Les "poils de pinceau" formeront un grand motif en bouquets.*
*Les fleurs stylisées trouveront leur place dans une cuisine moderne, tandis qu'une fleur plus réaliste y serait déplacée.*
*Les couchers de soleil dans différentes tonalités d'une même couleur pourraient décorer les bords festonnés d'une nappe ou d'un store.*
*La barrière ornera des bords de coussins; vous pouvez utiliser pour chacun une couleur différente.*
*Les cristaux de glace et autres motifs sont des formes simples qui décoreraient à merveille un abat-jour.*

# SIMPLICITÉ

*Décorez des petits meubles telle une table de nuit avec le motif d'angle et utilisez la bordure qui simule la vitesse autour de l'encadrement de porte dans une chambre d'adolescent.*
*Une bordure de poids à hauteur de tringle serait drôle dans une gamme de bleus et verts.*
*Multipliez les rangées de croix ou faites-en une simple frise dans une salle de bain ou une cuisine.*
*Le demi-cercle se prête à bien des variantes. Utilisez-le seul ou en ligne. Renversez-le ou mettez-le sur le côté autour d'une porte. Un habile recours aux ombres le rendra tridimensionnel.*
*Rialto est un motif simple d'Art déco. En fonction de la place qu'il occupera, utilisez des tons pastel ou des couleurs riches et changez-en les dimensions.*
*La bordure de losanges représente en réalité trois dessins en un. Mêlez-les harmonieusement autour d'une pièce en choisissant des couleurs douces dans une chambre à coucher, des tons verts et métalliques dans une salle de bain.*

Chapitre 7

# LE VASTE MONDE

*Des saris aux couleurs vives et des temples hindous; des tapis et des bijoux navajos; l'architecture inca et des oiseaux au plumage éclatant; des tapis persans et des tissus antillais. Le monde est plein de trésors que vous découvrirez dans votre chasse aux idées.*

*PAGE PRÉCÉDENTE : Des poteries géantes constituent un support idéal pour les dessins africains à la peinture pour céramiques.*

Pour trouver des motifs ethniques, rien de tel qu'un tour du monde! Par bonheur, il est très facile de nos jours d'entreprendre ce voyage assis dans un fauteuil! Feuilletez les brochures de voyages et les livres de tourisme relatifs aux pays et aux cultures qui vous attirent. Il existe une profusion de beaux livres, somptueusement illustrés en couleurs, sur pratiquement tous les pays du monde. Essayez de dénicher des livres sur les bijoux et les costumes nationaux.

Si vous en avez la possibilité, visitez autant de musées que vous le pouvez. Libre à vous de flâner en faisant de petites esquisses des dessins que vous aimez. Nul besoin de faire une œuvre d'art : l'important est de se souvenir du dessin en rentrant chez soi. Certains musées vendent des cartes postales; elles peuvent être d'une aide précieuse.

Bien sûr, si vous avez la chance de visiter le pays de vos rêves, c'est encore mieux. Une promenade dans les jardins de l'Alhambra vous inspirera pour des années.

Que faire lorsque vous avez trouvé des idées? Avec beaucoup de temps et d'argent, vous pourriez transformer votre intérieur urbain en un palais égyptien ou une hacienda espagnole, mais le désirez-vous vraiment?

Vous ne vous contenterez sans doute pas non plus d'une décoration unique dans votre style préféré; elle serait aussi déplacée dans son environnement qu'un souvenir de vacances ramené d'un pays exotique.

Mais vous pourriez choisir une pièce à décorer. Si vous êtes passionné d'architecture mauresque vous pouvez créer des bordures sophistiquées à partir des carrelages typiques de cette culture. Fabriquez des coussins de soie, décorez-les de dessins aux couleurs de pierres précieuses, et éparpillez-les dans la pièce. Assortissez vos tentures et abat-jour.

Si vos goûts vont plutôt vers la culture égyptienne, réalisez dans ce style des bordures ou des panneaux sur vos murs. Ils sont déjà très stylisés et se prêtent facilement au travail au pochoir. La forme pyramidale pourrait servir de base à de superbes motifs tridimensionnels. Choisissez des tons orangés ou sable que vous mêlerez à l'ocre-rouge et au vert des feuilles de palmier.

Peut-être êtes-vous attiré par les cultures indiennes? Ici aussi, les tons de pierres précieuses abondent dans les vêtements, l'art et les meubles. Inspirez-vous des tissus soyeux et des couleurs des plumes de paon.

*Un simple miroir paraîtra plus raffiné s'il est bordé de motifs persans. Remarquez comment le dessin a été adapté sur les côtés et les coins.*

*Dans cette cuisine, le motif simple des carrelages d'influence aztèque forme une tache de couleur autour de ce fourneau de cuisine par ailleurs très sombre.*

*Un simple motif africain a été utilisé pour souligner les murs de cette salle de bain moderne. Vous pouvez disposer des motifs ethniques n'importe où, à condition de choisir avec soin les couleurs.*

*Cet abat-jour moderne mais relativement classique a été décoré par la technique du pochoir inversé. Pour cela il suffit de couper la forme comme d'habitude mais de conserver la pièce découpée. Celle-ci devient le pochoir, autour duquel vous appliquerez votre peinture. On peut utiliser la même technique en se servant d'objets, des feuilles mortes par exemple.*

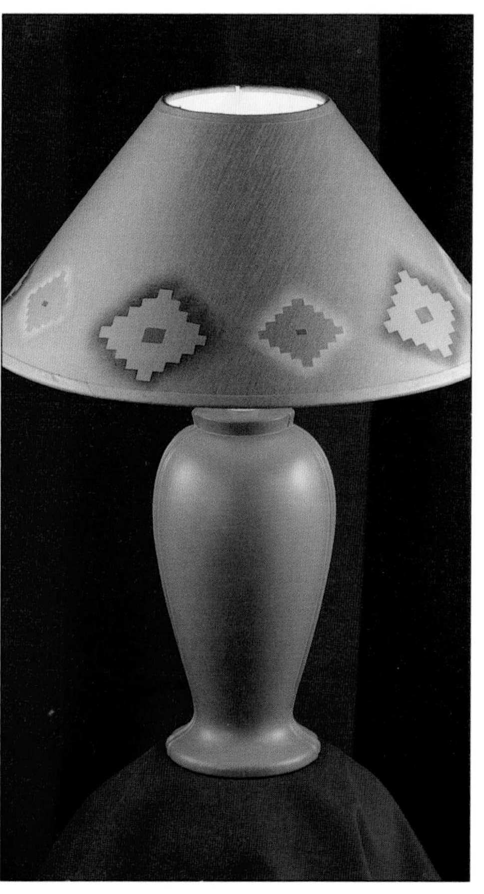

Les Peaux-Rouges d'Amérique produisent les plus beaux tapis et bijoux en utilisant des matières et des teintures naturelles. Les bruns et ocres de la terre, l'argent et le turquoise pourraient faire partie de votre palette.

L'Afrique est une merveilleuse étape de votre voyage imaginaire. Animaux et oiseaux stylisés, images de jungles et couleurs du désert, tout peut servir sous forme de frises et de peintures sur tissus. L'Afrique est en effet une terre de contrastes.

La Russie n'est pas le pays terne que l'on imagine parfois! Son architecture et ses costumes nationaux sont d'une beauté extraordinaire et valent la peine qu'on s'y intéresse.

La Scandinavie est riche en traditions et en dessins ethniques, tout comme les pays d'Amérique du Sud.

L'Australie est un pays jeune aux yeux des Occidentaux mais riche d'une culture artistique provenant des

*Cinq dessins différents ont été rassemblés pour créer cette tapisserie. Ils ne proviennent pas d'un seul pays mais forment un arrière-plan agréable à une petite collection d'objets posés sur une armoire.*

tribus aborigènes. Leurs sujets, souvent complexes et profonds, conviendraient à un intérieur très dépouillé.

Les motifs entrelacés des pays celtes ont souvent servi de base en décoration. Il existe des centaines de motifs, des animaux stylisés, des oiseaux et des fleurs qui enrichiront votre imagination.

Vous pouvez fabriquer des tapisseries dans des matières naturelles ou dessiner sur les murs en les utilisant comme arrière-plan pour un ensemble d'objets. Cela constituera une oasis dans votre décoration existante.

Décorez au pochoir de grandes pièces de tissu et jetez-les sur vos fauteuils et vos chaises. Créez de merveilleux tapis ou dessinez sur vos planchers de bois. Inspirez-vous des tapis persans et espagnols et ne lésinez pas sur les glands et les franges!

Pots et vases sont de parfaits supports pour des dessins ethniques et, puisque les peintures sur céramiques non cuites ne sont pas éternelles, vous pourrez changer de style au gré de votre humeur. Lorsque vous décorez des tissus, pensez à ne choisir que des matières naturelles comme la soie, le coton et le lin. Ce sont d'ailleurs ces mêmes matières qui donneront à votre intérieur une certaine authenticité.

*Animaux et oiseaux appartiennent au folklore de la Russie, de l'Amérique du Nord et de l'Afrique du Sud. L'aigle pourrait être le point de départ de la décoration d'un tapis ou d'une tapisserie, tandis que les ours qui dansent orneront parfaitement une petite table, les motifs en griffes formant une bordure.*
*Le chasseur et les animaux sont représentés dans un style très naïf. Imaginez-les peints dans une couleur terre sur un morceau de tissu jeté sur votre canapé et vos fauteuils. La girafe pourrait rejoindre d'autres animaux pour créer un cadre merveilleux dans une salle de jeux ou une chambre d'enfants.*
*Vous ne manquerez pas d'obtenir un effet tridimensionnel en utilisant les zigzags.*

*Tous les motifs de ce chapitre nécessitent des goûts très épurés. Ici ni volants ni fleurs, mais les couleurs que vous choisirez seront très chatoyantes ou très subtiles. Utilisez chaque motif dans sa totalité ou rassemblez des éléments de chacun d'eux selon vos besoins. La plupart pourraient servir à des bordures exotiques pour murs ou planchers ou bien encore illustrer de spectaculaires papiers d'emballage. Les petits dessins abstraits seraient parfaits sur des lampes et des étagères. Des tentures crème ornée de zigzags dans une gamme de turquoise et de jaune illumineraient un salon; on peut aussi en faire des bandes verticales sur le mur pour imiter un papier peint géométrique. Les bordures ne doivent pas nécessairement être horizontales.*

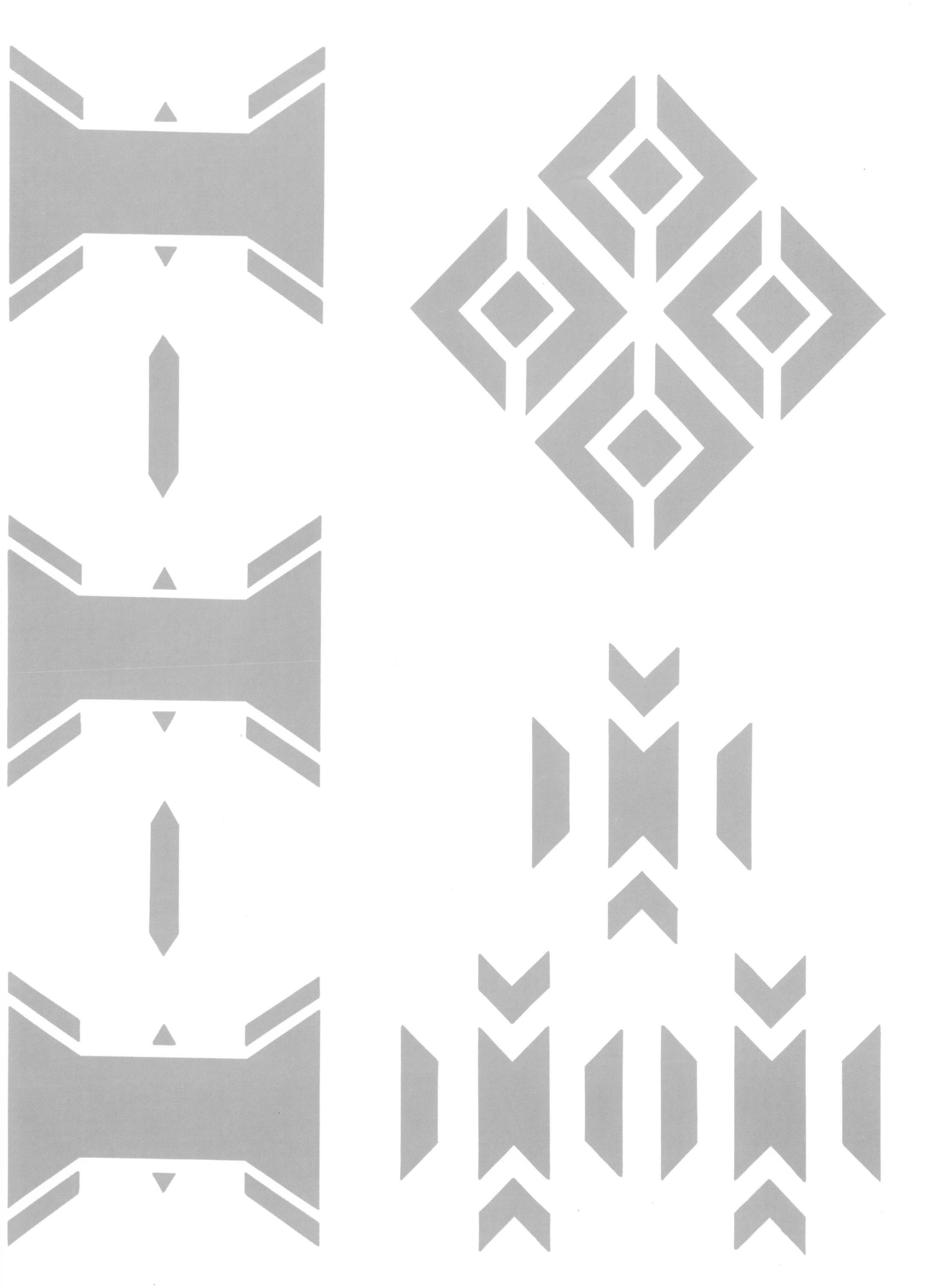

*Cet audacieux motif africain (ci-dessus) illustre une façon unique d'utiliser un espace négatif. Les formes sombres sont intéressantes en elles-mêmes mais en observant les vides vous y découvrirez de naïves représentations humaines. Si vous voulez faire une frise de ce dessin, il faut assouplir les traits et composer un ensemble harmonieux.*
*La bordure à damiers ferait merveille dans une cuisine ou une entrée moderne, tandis que le motif oriental donnerait du charme à une chambre exotique.*
*Les formes plus simples de carrés ou de rectangles souligneraient un cadre trop sobre. Utilisez la pyramide, l'étoile et le diamant pour créer d'étonnantes formes et frises dans une chambre d'adolescent. Ces formes simples peuvent être utilisées en bordures ou seules.*

Chapitre 8

# JARDIN CULINAIRE

*Herbes et légumes frais; carrelages luisants et théières fumantes; tartes aux pommes et bâtons de cannelle; gelées de mûre et nappes de coton. Ce sont là quelques images et parfums qui ne manqueront pas d'évoquer de bons souvenirs de repas partagés en famille ou entre amis.*

*PAGE PRÉCÉDENTE :*
*La corne d'abondance est la représentation traditionnelle de l'opulence. C'est un motif populaire lié au thème des moissons. Ce merveilleux exemple dans son bel encadrement a été réalisé à partir de deux pochoirs, de telle sorte que les couleurs, en débordant très légèrement, rendent l'image plus réaliste.*

Quelle que soit la façon dont est aménagée votre maison, chacun se retrouve dans la cuisine. Profitez donc de la présence de vos proches, et considérez cette pièce non pas comme un lieu de travail, mais comme un endroit où les recevoir.

Je pense que les gens se divisent en deux catégories : ceux qui exigent une cuisine brillante, moderne et ceux qui ont une passion pour les éviers en pierre et les étagères en bois où disposer tous leurs trésors. Quelle que soit votre préférence, le pochoir y trouve sa place.

Pensez à votre légume ou votre fruit préféré. Une pomme, par exemple. Comment l'introduire dans votre décor? Commencez par dessiner une modeste pomme, puis ajoutez quelques feuilles et vous aurez la base d'une frise. Développez un peu votre projet en y ajoutant deux autres pommes vues sous un autre angle et placées l'une derrière l'autre pour donner une impression de profondeur. Dessinez des fleurs de pommier et peut-être quelques rameaux. Essayez d'assouplir le dessin pour en faire une guirlande. Vous avez maintenant tous les éléments d'un thème décoratif. Des frises pour vos murs, des motifs pour les meubles, portes et carrelages. Ces dessins peuvent s'appliquer également sur les tentures, nappes et serviettes.

Faites un essai avec une couleur. Peignez en bleu fruits, feuilles et branches et le résultat rehaussera une cuisine moderne ou campagnarde. Un mélange de couleurs adoucira les lignes de l'aluminium et du plastique, tout en se combinant harmonieusement avec le bois.

Si vous disposez d'étagères où sont exposés vos objets préférés, vous pourriez ajouter à votre collection des assiettes en trompe-l'œil. Cela peut paraître difficile mais ce ne l'est pas en réalité. Si vous avez dans votre cuisine des pots où poussent des herbes culinaires, vous pouvez les décorer au pochoir ou dessiner une frise d'herbes potagères qui servira d'arrière-plan décoratif à votre collection.

*Si vous n'avez jamais songé à décorer des objets en verre, voici une idée simple que les débutants peuvent tenter. Choisissez un motif ou des lettres qui permettront d'identifier le contenu des pots ou jouez avec des décorations simples.*

*À L'EXTRÊME DROITE :*
*Un buffet placé sous une fenêtre fournit tout à la fois un espace de rangement supplémentaire et un endroit à décorer.*
*Celui-ci a été peint dans deux tons de bleu puis poncé pour donner une impression d'ancienneté. La décoration au pochoir, compliquée en apparence, n'utilise en réalité qu'une feuille et une grappe de raisins harmonieusement disposées.*

À DROITE : *Des rideaux de tulle décorés de cerises éclaireront les jours les plus tristes. Sur des matières synthétiques, il vaut mieux se servir de peintures acryliques.*

CI-DESSOUS : *Cet oranger dans son joli pot pourrait être imprimé dans une entrée ou même sur les murs d'une cage d'escalier.*

Dessinez le long de l'encadrement de la porte des poupées de paille ou des bonshommes de pain d'épice que votre enfant pourra s'amuser à compter. Eclairez vos murs à la hauteur du plafond en les illustrant de bouquets d'herbes et de fleurs séchées noués avec une ficelle ou un ruban. Puis, pour plus d'authenticité, dessinez des clous en trompe-l'œil pour les y suspendre.

Si vous avez une nature fantasque, pourquoi ne pas dessiner une série de pâtés en croûte laissant échapper de la vapeur? Ou une originale bordure de raisin et de verres à vin.

Des murs unis peuvent s'égayer d'un mélange de fruits : cerises, poires et prunes, semées au hasard.

Il peut être utile de prendre le temps d'établir la liste de tous les fruits et légumes qui vous viennent à l'esprit. Vous serez surpris de leur nombre. Amusez-vous à jouer avec leurs différentes formes pour obtenir une frise de légumes variés ou une salade de fruits estivale.

Lors de votre prochaine sortie au marché, jetez un regard attentif au rayon des fruits et légumes. Achetez ceux que vous préférez et vous aurez le plaisir supplémentaire de les savourer après vous en être inspiré.

Un bon catalogue d'horticulture vous fournira d'excellentes idées et un livre de jardinage complet vous expliquera non seulement comment faire pousser fruits et légumes mais aussi comment les cuisiner. Vous y trouverez donc tout à la fois la pomme et la tarte aux pommes!

Une corne d'abondance est un sujet où fruits, légumes, fleurs et insectes peuvent se côtoyer avec bonheur. C'est un thème très traditionnel qui est particulièrement populaire à l'époque des moissons. J'en ai réalisé une dans ma cuisine (voir au début du chapitre); ses formes et ses couleurs font mes délices. Créez la vôtre en choisissant vos fruits et légumes favoris puis ajoutez-y des abeilles et des papillons multicolores. Vous pouvez la simplifier ou la compliquer à souhait. Cela ferait un merveilleux motif sur les murs de la pièce où la famille se réunit pour les repas ou au-dessus d'une cheminée.

Vous pouvez bien entendu reprendre divers éléments en rappel de votre œuvre.

*Voici un choix de carrelages en céramique décorés au pochoir qui trouveront leur place dans une cuisine ou une salle de bain. N'oubliez pas, pour les protéger, de les vernir après les avoir illustrés.*

*Des rangées de petits pois en enfilade sur les murs de la cuisine sont très amusantes. Ne les alignez pas de façon rigide mais faites-les danser et ondoyer.*
*Le poivron est un motif simple qui peut être souligné par des tons rouge, vert et jaune.*
*Un bouquet de pommes, de fleurs et de feuilles serait ravissant à n'importe quel endroit de la maison mais plus particulièrement au plafond de la cuisine.*
*Les carrés illustrés d'un vase ou de feuilles stylisées se poseront sur les carrelages mais pourront également se transformer en frise.*
*Une théière fumante et des tasses dansantes constituent une cocasse décoration pour un plateau à thé.*
*Une frise d'épis égaiera vos rideaux de cuisine ou un encadrement de porte. Il n'est pas nécessaire de respecter leur couleur naturelle. Pourquoi ne pas essayer des épis noirs sur un fond gris?*

*Des rangées de tomates luisantes feront une riante frise autour de votre cuisine.*
*Les cerises sont toujours utilisées avec succès dans une cuisine ou une salle à manger. Elles ne doivent pas nécessairement être rouges. Essayez des fruits bleus avec des feuilles jaunes.*
*L'ananas est un fruit esthétique et ferait merveille sur vos armoires ou au-dessus de votre porte, en symbole d'hospitalité.*
*Faites une simple frise avec ces trois poires au-dessus de la ligne de vos carrelages. S'il s'agit de carrelages unis vous pouvez aussi appliquer ce motif sur certains d'entre eux.*
*La fraise des bois se posera sur les petits tiroirs.*
*La grappe de raisin est un motif plus important. En dissimulant certaines parties, vous pourrez créer de petits bouquets de fruits. Renversez le motif et vous obtiendrez toute une vigne.*

Chapitre 9

# STYLE VICTORIEN

*Tartans et murs blanchis à la chaux; jupons sur des tabourets de piano et têtières de fauteuils; rubans et glands, boucles et nœuds; architecture gothique et mouvement Arts and Crafts. L'époque victorienne fut longue, et déploya toute une gamme de goûts et de styles.*

*PAGE PRÉCÉDENTE :*
*De grands éventails enrubannés décorent ce paravent, et le motif est repris en plus petit sous forme de frise. C'est l'accessoire idéal pour une chambre à coucher de style victorien; vous pouvez le fabriquer vous-même ou le dénicher chez un brocanteur.*

En Angleterre, l'époque victorienne fut une époque de paix relative mais connut d'importants changements dus à une succession rapide de nouvelles inventions et de découvertes scientifiques. En art, le mouvement préraphaélite produisit des peintures très détaillées et réalistes. Par ailleurs, c'est à cette époque que le Mouvement Arts and Crafts vit le jour et encouragea des formes de décoration plus sobres. Bien des meubles de l'époque étaient lourds et sombres mais ils étaient décorés des dessins les plus délicats.

Cette époque vit naître la production en masse, et les objets décoratifs furent dès lors plus abordables pour tout un chacun. Ceci, combiné avec le fait qu'il s'agit d'une époque encore relativement récente, explique que cette période offre une abondance d'idées pour vos réalisations. En effet, bien des catalogues d'ameublement, de papiers peints et de vêtements sont encore disponibles, tout comme des magazines de l'époque. Il existe aussi des livres consacrés aux styles de différentes époques, dans lesquels vous pourrez puiser des idées.

*Cette lampe à pétrole avait besoin d'un détail supplémentaire pour souligner son élégance. Un motif dessiné au pochoir le long du globe, en peinture pour céramique, est la touche finale rêvée.*

Le mouvement Art Nouveau commença vers la fin du siècle passé, dans les années 1890. Ses lignes gracieuses et fleuries font qu'il est prisé par bien des gens. Il existe beaucoup de catalogues sur cette période et vous verrez que chaque pays d'origine, que ce soit l'Angleterre, la France, la Belgique ou l'Allemagne, a donné au mouvement ses nuances propres.

Si vous ne possédez chez vous rien d'époque, créez vos œuvres au pochoir. Une frise à mi-hauteur divisera votre mur en deux. Vous pourriez aussi tracer cette frise au-dessus de la porte et la faire descendre jusqu'aux plinthes.

*Ici, un ensemble de tableaux disparates est rendu plus harmonieux par un jeu de nœuds, de cordons et de glands. Les glands semblent voleter négligemment et donnent de la vie à une scène autrement très statique.*

Dessinez un faux rail autour de la pièce. Puis fixez vos tableaux aux murs en dessinant des chaînes auxquelles ils semblent être suspendus.

Vous allez découvrir que le pochoir est le moyen idéal pour transformer visuellement les proportions de vos pièces. En ajoutant des cimaises et des rails vous divisez les murs et dès lors vous réduisez leur hauteur. Vous pouvez aussi transformer l'aspect de vos meubles. Les portes des garde-robes et armoires peuvent adopter le style de n'importe quelle époque, si l'on y ajoute au pochoir les motifs typiques de ces périodes. Murs, portes et paravents peuvent subir le même traitement.

Dessinez des motifs fleuris sur des têtières de fauteuils bordées de dentelle et reprenez le même thème sur des housses de protection pour les bras des fauteuils et des canapés. Attaquez-vous alors à la cheminée. Si elle n'est pas authentique, vous pouvez en entamer la rénovation en y dessinant vos propres carrelages.

*Un parquet de bois constitue une surface parfaite pour accueillir une bordure de tapis dessinée à partir de trois motifs uniques. Le même dessin conviendrait sur un escalier, dans un couloir ou sur un palier.*

*Ces napperons de dentelle entrelacée sont décorés de coquelicots style Art Nouveau. Les napperons plus petits sont ornés d'un simple motif assorti.*

Vous pourriez aussi dessiner un tapis sur votre plancher de bois. Il sera infiniment meilleur marché qu'un vrai tapis. Vous pouvez soit réaliser un tapis entier, soit une bordure qui entourera un vrai tapis.

Dessinez au pochoir sur le mur quelques encadrements et comblez-les avec des silhouettes ou des motifs floraux. S'ils sont alignés verticalement ils pourraient être "maintenus" visuellement par un ruban au pochoir.

Imitez la gravure sur verre pour les fenêtres de votre salle de bain : faites-y un dessin avec de la peinture en bombe. Reprenez le même motif sur le mur autour des miroirs, du lavabo et de la baignoire. Et pourquoi pas sur vos serviettes? La meilleure façon de procéder est de faire le dessin choisi sur du coton et de le coudre ensuite au bord de la serviette. Toujours dans votre salle de bain, l'abat-jour de verre serait plus raffiné s'il était orné d'un motif assorti.

Un panneau décoré – facile à réaliser à l'aide de contre-plaqué – donnera instantanément du style à votre chambre à coucher. Vous pourriez aussi le fabriquer avec des lattes en bois et un tissu décoré au pochoir de votre choix. Mais veillez à ne pas obtenir un paravent qui ressemblerait à celui d'une chambre d'hôpital!

La tablette de votre coiffeuse pourrait être semée de napperons de dentelle dessinés directement sur la surface en trompe-l'œil et qui ne nécessiteront jamais de lessive.

La plupart d'entre nous ne souhaiteraient pas être transplantés à cette époque mais bien des moyens permettent de n'en reproduire que les feux de sa splendeur dans notre intérieur.

*La frise de tulipes serait superbe au bord d'une nappe ou de tentures.*
*Les bouquets de violettes seraient ravissants éparpillés sur du linge de lit ou sur les napperons ornant une coiffeuse et pourraient même former une frise sur la tête d'un lit.*
*Vos meubles seront comme ciselés grâce au motif en spirale. Une ombre savamment dosée leur donnera une apparence tridimensionnelle.*
*La campanule est une fleur très gracieuse qui personnaliserait à ravir des accessoires de bureau.*
*Les courbes sinueuses des coquelicots s'avéreraient très séduisantes en frise ou peintes sur les vitres de la salle de bain à l'aide de peinture en bombe.*

*Le petit cœur, peint d'une seule couleur, est exactement le motif qu'il faut dessiner sur des tiroirs pour mettre en valeur leurs poignées, tandis que la décoration aux courbes élaborées trouverait parfaitement sa place sur les murs d'une salle à manger traditionnelle. Choisissez une nuance légèrement plus sombre que la couleur de vos murs.*
*Le fuchsia serait ravissant dans l'angle d'un miroir. Dessinez-le soit sur le mur, soit sur le miroir lui-même ou servez-vous-en pour décorer une boîte à bijoux.*
*Le nœud rayé supportera vos photos préférées. Vous pouvez en allonger la "queue" si vous souhaitez qu'elle "glisse" derrière une rangée verticale de tableautins. Découpez deux formes, l'une pour le ruban et l'autre pour les rayures.*

*Dessinez l'encadrement ovale sur vos murs, isolé ou en groupes, et disposez-y de petits bouquets de fleurs comme les violettes. La forme ovale seule décorera très simplement les portes d'une garde-robe. Egayez un abat-jour uni en dessinant sur ses bords le petit motif abstrait ou encore, placez ce motif dans les coins d'une petite table.*
*En variant les dimensions du nœud, du cordon et du gland vous leur trouverez maintes utilisations. Le cordon imitera une rampe dans la cage d'escalier ou prendra sa place sur les murs à la hauteur où seront suspendus des tableaux.*
*L'arum est une réminiscence des motifs Art Nouveau et décorerait à merveille des carrelages.*
*De jolis parasols viendront ensoleiller une chambre à coucher féminine.*

Chapitre 10

# FLEURS ET PLANTES

*Lierre grimpant et glycine; papillons et abeilles; plantes en pots et treillis; pois de senteur et rotin; oiseaux multicolores et ciel bleu. Le thème de la nature évoque la vie animale, les oiseaux, les plantes cultivées ou sauvages… A vous de décider quels éléments vous désirez adopter dans votre maison.*

*PAGE PRÉCÉDENTE : Auriez-vous cru qu'une vieille malle en bois puisse devenir si ravissante, tout simplement grâce à quelques fleurs et feuilles grimpantes? Veillez à choisir la bonne section de pochoir correspondant aux angles.*

*Une magnifique représentation de vase empli de fleurs a été encadrée et suspendue au mur. Pour l'harmoniser au style de la pièce une frise a été créée à partir d'éléments de ce motif et court le long des murs à hauteur de cimaise.*

Imaginez que vous êtes chez vous par une triste journée hivernale, froide et humide. Toutes vos plantes en pot sont en saison morte et il n'y a pas une fleur à l'horizon. Par la fenêtre, la pluie vous empêche même d'entrevoir votre jardin d'hiver. Quelle est la solution? Pourquoi ne pas vous adonner aux joies du pochoir? Vous commencerez sans doute par la pièce où vous passez le plus clair de votre temps. Ce peut être la salle de séjour, un bureau ou une salle de jeux. Les couloirs et les paliers qui sont souvent les endroits les plus ignorés peuvent aussi bien devenir votre jardin intérieur.

*Cette délicate clématite a été travaillée à partir des motifs de feuille et de fleur présentés dans ce chapitre. Le pot a été doté d'une frise décorative pour rompre une trop vaste surface de terre cuite.*

Maintenant, à vous de choisir. Allez-vous dessiner une énorme plante grimpante traçant son chemin sur les murs, ou bien une collection de petites plantes qui éclaireront un coin de la pièce? Vous pourriez combiner les deux options!

Si vous disposez d'une serre, c'est l'endroit idéal où donner libre cours à votre âme d'artiste. Dessinez sur les murs des plantes à fleurs ou des lierres. Vous verrez, ils se mêleront aux plantes naturelles. En outre, ils auront l'avantage de n'exiger aucune attention, sauf bien sûr si vous décidez de les faire grandir! Et pour ajouter à la touche exotique vous pourriez leur adjoindre des oiseaux tropicaux ou des papillons butinant.

Peut-être vivez-vous dans un sous-sol ou certaines de vos pièces ne reçoivent-elles que peu de lumière, même en été. Ici encore, le pochoir peut voler à votre secours. Dessinez au-dessus d'une étagère une rangée de pots en terre et "remplissez-les" de bulbes printaniers, comme les jacinthes et les jonquilles. Les fleurs changeront en fonction de la saison ou de votre humeur.

Si vous placez une petite table contre un mur, vous pouvez dessiner un vase sur le mur de telle sorte qu'au premier abord il fasse illusion et semble être posé sur la table. Remplissez ensuite le vase avec un bouquet de fleurs sauvages ou un arrangement floral plus traditionnel. Ce peut être ravissant dans une chambre à coucher, où l'on pourrait placer sur les deux tables de nuit des vases identiques. Pour enjoliver encore votre chambre, vous pourriez reprendre certains éléments du bouquet en un petit motif que vous poseriez çà et là sur les murs et les tissus d'ameublement.

*Un grand dessin au pochoir à hauteur du plafond peut s'avérer spectaculaire. Ici des rubans et des nœuds sont entrelacés de fleurs grimpantes.*

*Dessinez ce fuchsia raffiné sur une table de salon en utilisant soit des tons pastel, soit des couleurs vives. L'insolente mésange bleue peut se percher dans vos pochoirs sur n'importe quelle branche ou rameau. Des abeilles affairées et des papillons aux couleurs chatoyantes éclaireront vos murs ou ajouteront une note de réalisme à vos fleurs au pochoir. L'églantine, la violette, et le lierre s'adaptent à tout. Vous pouvez les utiliser séparément ou les rassembler.*

*Faites une bordure classique à partir de l'urne et ajoutez-y des feuilles de lierre.*
*Les deux pots peuvent servir à recevoir des bouquets de fleurs ou de grandes plantes d'intérieur mais n'oubliez pas d'en ajuster les dimensions.*
*Le laurier trouvera sa place dans le couloir menant à la cuisine.*
*Faites une composition de plantes en pots en les dessinant le long du mur au-dessus d'une étagère ou utilisez-les pour décorer des panneaux de portes.*

*Fleurs, feuilles et boutons de clématites peuvent être utilisés en tant que tels ou composés en bordures au gré de votre inspiration. Avec un peu de méthode, vous créerez toute une plante comme sur la photographie qui figure dans ce chapitre.*
*Le motif de treillis peut être utilisé seul n'importe où dans la maison mais vous pouvez lui adjoindre une plante grimpante, naturelle ou dessinée.*

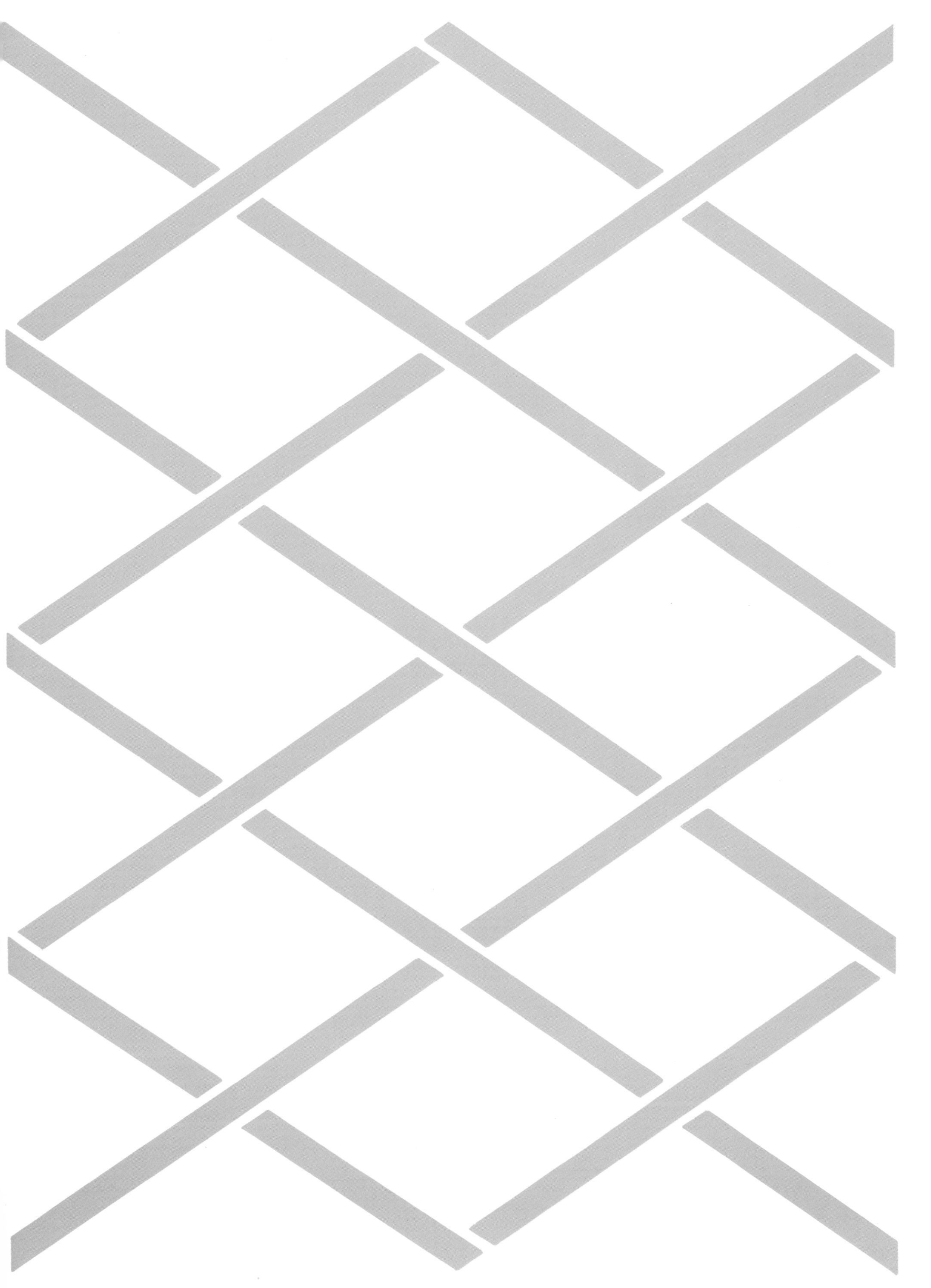

Chapitre 11

# FESTIVITÉS

*Feuilles de gui et de houx; feux de Bengale et chapeaux fous; œufs de Pâques et cadeaux d'anniversaire; mariages et commémorations. Il y a tant d'occasions de faire la fête! A une époque où tout est commerce il est très gratifiant de produire un cadeau, une carte ou un objet décoratif de son cru.*

*Quoi de plus simple que ce trio de décorations destinées à l'arbre de Noël, faites en carton fort couvert de peinture dorée en bombe? La même forme a été répétée sur chaque carte et enduite de couleur de façon différente.*

Peu d'entre nous souhaitent décorer leur intérieur de houx et de gui entremêlés de rubans rouges ou de babioles luisant de mille feux argentés. Mais il y a bien d'autres façons de décorer la maison pour Noël.

Une séduisante couronne de houx, de gui et d'hellébore serait merveilleuse dessinée au pochoir sur un morceau de bois et découpée de la même manière que la couronne de fleurs décrite dans le chapitre *Charme rustique*. Vous pourriez la réutiliser chaque année pour décorer votre porte d'entrée ou créer des couronnes assorties – pour la cheminée – que vous attacheriez avec des rubans ou du lierre.

On peut créer des décorations pour le sapin de Noël à partir de différents sujets dessinés sur du carton que l'on peindra de couleurs métallisées, en leur ajoutant une touche finale scintillante. Toute la famille appréciera cette occupation. Si vous décorez au pochoir de petits sachets de tissu, vous pourrez les suspendre au sapin et les remplir de minuscules cadeaux ou de chocolats.

Le traditionnel repas de Noël est toujours une fête qui rassemble la famille et les amis fidèles. C'est le moment de faire admirer vos talentueux pochoirs. Décorez nappe, serviettes et anneaux de serviettes avec des motifs de Noël.

Une bonne idée consiste à dessiner au centre de la table un grand motif circulaire ou rectangulaire. Concentrez-vous ensuite sur la place des convives. Si vous disposez de deux séries de serviettes, vous pourriez dessiner un rappel du motif central sur les bords de la première série que vous utiliserez réellement comme serviettes. La seconde série servira de sets de table et le même motif sera disposé en cercle pour entourer l'assiette.

Vous pourrez répéter cette idée pour toutes les occasions. Des motifs différents seront alors choisis. Vous pourriez aussi illustrer des cartons portant les noms des convives ainsi que des menus.

*A Noël, accueillez vos invités autour d'une table dressée avec goût, qui leur donnera envie de s'installer. Voici un bon exemple de dessins simples qui se mêlent harmonieusement à l'environnement.*

S'il y a un mariage dans votre famille, vous pourriez imaginer de ravissantes cartes de visite pour les futurs conjoints. Prenez comme point de départ leur fleur préférée. Il n'y a pas longtemps, j'ai concocté un pochoir pour ma future belle-sœur. Elle s'en est servi pour créer ses nouvelles cartes de visite et a eu la satisfaction supplémentaire de les avoir créées elle-même. Le motif floral pourrait être repris dans l'album de mariage sur les cadres des photos.

Un joli motif brodé fêtera une nouvelle naissance. Mais si, comme c'est mon cas, vous êtes inefficace avec une aiguille et du fil, réalisez ce projet au pochoir. Empruntez quelques-

CI-DESSUS : *Réaliser ses propres cartes de vœux est une bonne introduction au pochoir. Cette jolie collection de cartes couvre toute une gamme de fêtes.*

À DROITE : *Des piles de cadeaux ont été emballés de papier décoré au pochoir et les boîtes unies sont enjolivées d'un détail de saison. Vous pourriez y ajouter des étiquettes et de petites cartes assorties.*

*Cette ravissante rose a été dessinée sur un morceau de tissu où elle constituera la base idéale d'un travail de broderie.*
*En changeant sa couleur elle deviendra un joli dessin à encadrer et suspendre au mur. Tous deux seraient de parfaits cadeaux d'anniversaire ou de naissance.*

uns des motifs suggérés au chapitre intitulé *Au royaume de l'enfance*, que vous reproduirez sur du tissu ou sur du papier, avant de les mettre sous cadre. Cette idée peut s'appliquer également aux anniversaires et aux célébrations spéciales.

Si, en revanche, vous êtes une fée de l'aiguille et de la broderie, vous pourriez dessiner un bouquet de roses sur un morceau de soie puis souligner l'effet tridimensionnel en ajoutant quelques points de broderie. Pour plus de profondeur, faites déborder le dessin sur l'encadrement.

Vous pourrez choisir des roses différentes en fonction de l'occasion : rouges pour des noces de rubis ou jaunes pour des noces d'or.

Pourquoi écumer les magasins spécialisés à la recherche de la carte adéquate alors que vous pouvez créer la vôtre. Le papier d'emballage et les étiquettes pourront être assortis. Et voici un domaine où vous pourrez encourager les talents de vos enfants en imaginant pour eux des motifs dont ils pourront illustrer les cartes d'anniversaire destinées à leurs amis.

Votre meilleure source d'imagination sera ici la connaissance que vous avez de vos amis. Leurs hobbies et passe-temps seront les points de départ de bien des projets.

*Ce joli rameau de jonquilles sera le sujet idéal d'une carte postale ou d'un tableautin pour la fête de Pâques.*
*Dessinez des œufs de Pâques sur des morceaux de carton et cachez-les autour de la maison pour une chasse aux œufs, avec des prix à la clef pour les gagnants!*
*Le chapeau fleuri a été dessiné spécialement pour Pâques, mais il décorerait à ravir la chambre d'une petite fille. Cette jolie rose serait ravissante sur un napperon uni, posé à la place de chaque convive, tandis que le champagne pétillant dans les verres vous aiderait à annoncer une bonne nouvelle. Les clochettes en argent sont idéales pour décorer des invitations à un mariage.*

*J'ai réalisé toute une série de dessins pour Noël; il ne vous reste plus qu'à choisir. Regardez-les bien car certains d'entre eux demanderont une seconde forme pour perfectionner les détails. Tous conviennent à des cartes de vœux, du papier d'emballage et des étiquettes ou même pour décorer le sapin de Noël. En agrandissant les chaussettes, les bougies et les menus objets vous pourrez en décorer votre salon et votre salle à manger. Voici une activité à organiser en famille.*

A B C D E F G

H I J K L M N

O P Q R S T U

V W X Y Z

1 2 3

4 5 6 7 8 9 0

*J'ai dessiné deux styles de lettres et de chiffres. La version en caractères gras est idéale pour écrire un prénom d'enfant ou pour les jeux d'éveil décrits dans le chapitre* Au royaume de l'enfance. *La version plus calligraphiée servira à écrire des messages sur vos cartes et étiquettes. Chacun de ces styles pourrait convenir à une broderie commémorant une naissance ou un mariage.*

A B C D E F G

H I J K L M N

O P Q R S T U

V W X Y Z

1 2 3

4 5 6 7 8 9 0

# MATÉRIAUX ET TECHNIQUES

QU'EST-CE QU'UN POCHOIR?

Un pochoir est un morceau de papier ou de tout autre support, découpé de "fenêtres" permettant d'appliquer de la couleur sur une surface donnée. Il peut se composer d'une simple feuille, utilisée avec une seule couleur, ou de plusieurs feuilles superposées permettant l'usage de plusieurs couleurs. Chaque partie du pochoir a un rôle à jouer. Les trous représentent la forme du dessin et les espaces, appelés ponts ou pattes, séparent les différents éléments et donnent à l'ensemble une impression de réalisme et de profondeur.

MATÉRIAUX

CARTE À POCHOIR : Le matériau le plus traditionnel pour un pochoir est le papier bulle (ou papier de Manille). Il s'agit d'un carton épais trempé dans de l'huile de lin pour être imperméabilisé. Idéalement il devrait être utilisé avec des peintures à l'huile ou en bombe, car la peinture à l'eau finit par le rendre pâteux et inutilisable.

L'avantage du papier bulle est qu'il est facile à découper. Son inconvénient majeur est que l'on ne peut voir au travers, ce qui est gênant lorsqu'on veut ajuster le dessin pour obtenir une bordure supplémentaire ou lorsqu'on veut superposer plusieurs parties du dessin. La solution est de découper des points de repère dans le pochoir ou des encoches sur ses bords, que l'on pourra faire coïncider avec celles faites sur les autres formes.

ACÉTATE : L'acétate des dessinateurs est celui qui convient le mieux au pochoir. Mais choisissez toujours le poids adéquat. S'il est trop épais il sera difficile à découper et ne se pliera pas aisément dans les coins; s'il est trop mince il se déchirera. L'acétate est brillant d'un côté et légèrement opaque de l'autre. Il est résistant, facile à nettoyer et sa transparence permet un repérage facile. Tracez vos dessins sur le côté opaque de l'acétate avec un crayon et appliquez la peinture du côté brillant, mais n'oubliez pas que l'image sera inversée lorsque vous retournerez l'acétate. Nettoyez-le régulièrement.

PAPIER : Si votre pochoir n'est pas destiné à un usage intensif, vous le fabriquerez en papier fort ou en carton. Tous deux se prêtent facilement au dessin, sont faciles à découper et bon marché. Toutefois, sauf si vous utilisez un papier-calque épais, vous ne pourrez rien voir au travers et les repérages seront malaisés.

MÉTAL : Les pochoirs fabriqués en laiton sont résistants et faciles à nettoyer, mais n'ont aucune transparence, ce qui rend les repérages difficiles.

AUTRES : Vous pouvez utiliser un morceau de dentelle ou un napperon en papier pour créer un joli pochoir. Quelques couches de vernis les renforceront suffisamment pour un usage limité.

*PAGE DE DROITE : Plusieurs dessins sont rassemblés dans cette entrée et soulignent le ton chaud des portes en acajou.*

*Comme le travail au pochoir n'exige qu'un équipement de base, il est utile d'investir dans un bon cutter et de bons pinceaux. Les surfaces à décorer dicteront les types de peintures à utiliser.*

ÉQUIPEMENT

PINCEAUX : On reconnaît le traditionnel pinceau à pochoir à son manche rond et à ses poils coupés droit. C'est un modèle spécial qui, depuis des siècles, n'a pas changé. Vous pouvez acheter des pinceaux de différentes tailles, chacun destiné à une tâche particulière. Les pinceaux les plus grands conviennent pour les fleurs et les pochoirs qui présentent de larges fenêtres. Les petits pinceaux serviront aux minuscules détails. Je préfère me servir de pinceaux aussi gros que possible car ils semblent mélanger les couleurs bien plus aisément. Comme la popularité du pochoir continue à s'accroître, pinceaux et autres outils sont à présent disponibles dans les magasins de fournitures pour artistes. S'il vous est difficile de vous procurer des pinceaux pour pochoirs, vous pouvez utiliser des pinceaux ordinaires, mais ceux-ci ne s'avèrent pas aussi efficaces lorsqu'il s'agit de mélanger les couleurs.

Nettoyez soigneusement vos pinceaux. Si vous en prenez soin, ils dureront toute une vie.

ÉPONGES : Exercez-vous à appliquer la couleur au moyen d'une éponge de mer. Cela donnera à vos créations un splendide effet pommelé. Et en mêlant les deux techniques (pinceau et éponge) vous obtiendrez plus de relief.

PEINTURES : Si les artistes d'autrefois pouvaient voir le choix de peintures et la gamme de couleurs disponibles de nos jours, ils seraient très jaloux. Vous ne devriez éprouver aucune difficulté à dénicher la peinture qui convient à n'importe lequel de vos projets. Il existe des peintures de qualités très différentes, selon le résultat souhaité. Mais il vous faudra toujours choisir la qualité en fonction de la surface à couvrir (plâtre, bois, tissu ou verre) et utiliser votre bon sens. Par exemple vous veillerez à choisir, pour une chambre d'enfant, une peinture non toxique.

ACRYLIQUES : On les trouve dans tous les bons magasins d'art graphique et elles existent dans une magnifique gamme de couleurs, y compris en finitions nacrées ou métallisées. Elles sèchent vite et se mélangent aisément. Comme les peintures acryliques sont à base d'eau, vous pourrez les diluer à l'eau et ainsi nettoyer vos pinceaux sans problème dans de l'eau chaude savonneuse. Le séchage rapide de cette peinture en fait la peinture idéale pour les travaux au pochoir.

PEINTURES POUR POCHOIRS : Elles sont également à base d'eau, mais vendues en pots et plus liquides que la plupart des acryliques. Comme elles sont fabriquées spécialement pour ce type d'artisanat, elles sèchent très vite, ce qui permet d'avancer rapidement. Les pinceaux seront nettoyés à l'eau chaude.

BÂTONNETS DE PEINTURE À L'HUILE : Comme le suggère leur nom, il s'agit de peinture à l'huile, mais en bâtonnets qui ressemblent à de gros pastels. Leur utilisation est aisée et leurs couleurs se mêlent bien. De plus ils ne sèchent pas et dureront des années. Un seul inconvénient : Vous devrez nettoyer vos pinceaux au white spirit avant de les laver dans de l'eau savonneuse.

CRÈMES : La peinture en crème est une nouvelle possibilité dans la gamme des produits. C'est une peinture solide en pot que vous pouvez tenir dans une main pour y tremper votre pinceau. Les peintures en crème conviennent pour toute surface, y compris le tissu.

PEINTURES EN BOMBE : Bien des décorateurs professionnels utilisent de la peinture en bombe. Elles sont disponibles dans une riche gamme de couleurs, y compris métallisées. L'usage d'un pinceau n'est pas nécessaire puisqu'il suffit de vaporiser la peinture directement sur la surface choisie. La plupart du temps une seule couche suffira. Le grand désavantage des peintures en bombe est qu'elles sont très salissantes; il faudra donc protéger les environs avec du papier journal pour éviter les éclaboussures. Elles sont aussi très difficiles à utiliser jusqu'à ce qu'on trouve la bonne façon de presser le bouton. Ne vous laissez cependant pas décourager, car le résultat final peut être sensationnel.

PEINTURES POUR TISSU : Plusieurs marques sont disponibles et s'utilisent de la même manière que les acryliques et couleurs à l'eau. Beaucoup peuvent être fixées au fer à repasser ou par séchage à chaud en machine. On peut bien entendu peindre au pochoir sur n'importe quel tissu mais les tissus naturels comme le coton, le lin et la soie s'y prêtent mieux.

PEINTURES POUR CÉRAMIQUES : Elles sont destinées à la décoration de carrelages, poteries, porcelaine et autres objets de céramique. Sauf si vous disposez d'un four à céramiques n'utilisez que des peintures sans cuisson. Ces peintures sont destinées à un usage décoratif et ne supporteront pas de nombreux lavages. Inutile donc de décorer votre service de tous les jours!

PEINTURES JAPONAISES : Ce sont également des peintures à l'huile au séchage ultra-rapide, ce qui en fait l'outil idéal du pochoir. Toutefois, leur gamme de couleurs est assez limitée.

AUTRES : Vous pouvez utiliser n'importe quelle peinture à condition de tenir compte de la surface à enduire. La peinture à l'eau donne un effet spectaculaire, mais il vaut mieux l'épaissir en y ajoutant un rien d'acrylique.

Toutes les peintures à l'eau peuvent être utilisées, mais leur temps de séchage est très long, ce qui présente un inconvénient si vous souhaitez réaliser une frise multicolore.

Les peintures pour bois ou les vernis donnent des résultats surprenants. Vous pouvez bien entendu les utiliser sur du bois mais un vernis clair mélangé à un peu de peinture à l'huile convient aussi sur du verre.

Suivez toujours les instructions données par le fabricant. Certaines peintures et solvants peuvent présenter des dangers!

*Lorsque vous aurez davantage confiance en vous, vous pourrez vous attaquer sans hésiter à de plus vastes projets : planchers et céramiques. Bien que les dessins de cette pièce soient de style très différent, leurs tons se reflètent dans la nappe en patchwork.*

## PRÉPARATION DES SURFACES

Comme pour toute forme de décoration, la surface doit être préparée avant d'être peinte. Si vous ne le faites pas, vous n'obtiendrez pas de bons résultats. Poussières et impuretés empêcheront le pochoir d'être bien plat et la peinture risquera de couler.

MURS : Enlevez toute trace de vieux papier peint et bouchez les trous. Il n'est pas nécessaire que les murs soient parfaitement lisses, tout dépend de l'effet que vous souhaitez obtenir, mais les murs nettoyés doivent être secs avant d'entamer la décoration. Vous pouvez dessiner sur du plâtre mais traitez-le au préalable avec une base universelle.

SURFACES PEINTES : Vous pouvez peindre sur une surface peinte à condition qu'elle soit préparée en conséquence. Une peinture vernie doit être poncée.

BOIS : Enlevez toute trace de cire ou de vernis et décapez la vieille peinture selon les instructions du fabricant. Si la surface est très rugueuse poncez-la d'abord avec un papier émeri à gros grain, puis plus fin pour lui donner une finition lisse. N'oubliez pas de toujours peindre dans le sens du bois.

VERRE : La seule exigence est qu'il soit propre, sec et exempt de graisse.

TISSUS : Le tissu doit toujours être lavé pour enlever toute trace d'apprêt, puis repassé. L'apprêt peut faire couler la peinture et gâcher votre travail.

PLANCHERS DE BOIS : A l'aide de papier émeri à gros grain d'abord, puis de plus en plus fin, poncez le plancher, dans le sens du bois, pour respecter sa texture. Lorsque vous avez terminé, aspirez et essuyez avec un chiffon. S'il s'agit d'un vieux plancher, il est préférable d'utiliser une ponceuse électrique pour obtenir une surface lisse et se débarrasser des traces de vernis et de cire. Poncez les coins et les côtés à la main. Lorsque votre décoration est terminée, couvrez de deux couches de vernis incolore au moins et votre œuvre d'art durera des années.

MÉTAUX : Enlevez la vieille peinture par ponçage adéquat et la rouille avec une brosse métallique puis poncez le métal à la paille de fer. Dessinez directement sur le métal ou enduisez-le d'abord avec un apprêt pour métaux. Les peintures à l'huile sont les plus adaptées aux métaux car elles préviennent la rouille. N'oubliez pas de couvrir votre travail d'une couche de vernis transparent.

CÉRAMIQUES : Veillez à ce que la surface soit propre, sèche et non grasse, puis appliquez votre pochoir sur la surface en vous servant de peintures pour céramiques et vernissez le tout avec un vernis professionnel pour donner longue vie à votre œuvre.

PLASTIQUE : Avant d'appliquer la peinture, poncez la surface au papier émeri à grain fin. Vous pouvez aussi peindre le plastique d'abord, puis travailler au pochoir sur la peinture.

PAPIER: Vous pouvez travailler sur n'importe quel type de papier, mais un papier peint à relief n'est pas une surface idéale et gâcherait votre projet.

### ALIGNEMENT

Les instructions données ici sont de simples lignes de conduite. Vous pouvez positionner une bordure avec une grande précision scientifique pour découvrir ensuite que le résultat est inadéquat dans une pièce qui n'est pas d'une grande rigueur géométrique.

POINTS CENTRAUX : Il vous faudra deux petits bouts de ficelle. Epinglez l'extrémité de l'un d'eux dans un coin et l'autre extrémité dans le coin opposé. Répétez l'opération avec le deuxième bout de ficelle dans les deux angles restants. Le point où se croisent les ficelles sera votre point central.

VERTICALES ET HORIZONTALES : Enrobez une ficelle de craie et attachez-y le fil à plomb, bien haut sur le mur. Laissez le fil à plomb s'immobiliser. Puis, en tenant le plomb contre le mur, faites "vibrer" la ficelle. Elle imprimera une ligne de craie sur le mur.

Un niveau d'eau et une règle ou un mètre à ruban sont suffisants pour déterminer une ligne horizontale. Décidez à quelle hauteur du plancher vous souhaitez placer votre dessin. Mesurez cette hauteur à intervalles réguliers. Attachez un morceau de ficelle au mur en suivant les marques et tracez une ligne horizontale.

BORDURES ET FRISES : Commencez par le milieu et travaillez vers l'extérieur. Il se pourrait que le motif répété plusieurs fois remplisse exactement l'espace disponible. Dans le cas contraire, vous pouvez l'étirer ou le comprimer, mais si l'espace libre est trop grand, reprenez certains des éléments pour en faire un motif d'angle.

ARRONDIR LES ANGLES : Il sera peut-être plus facile de traiter chaque mur individuellement et de placer un motif d'angle à chaque coin. Cette méthode s'adapte bien aux encadrements de porte : on place le motif d'angle à la base et aux deux angles supérieurs.

Un pochoir en acétate se pliera facilement dans les angles et vous pourrez poursuivre votre travail sans interruption. N'oubliez pas que, si vous avez entrepris de dessiner une frise autour d'une pièce, vous devrez tôt ou tard en joindre les deux bouts!

ANGLES EN ÉQUERRE : Dessinez une ligne au crayon à 45° dans l'angle. Puis placez une bande de papier collant qui masquera la ligne au crayon et tracez votre dessin jusqu'à cette bande. Déplacez alors la bande de l'autre côté de la ligne au crayon et reproduisez le dessin dans l'angle. Comme ceci peut réserver des surprises, faites d'abord un essai sur papier avant de vous lancer dans l'aventure.

MOTIFS : Vous pouvez placer des motifs au hasard sur les murs et les planchers en vous fiant à votre regard d'artiste. Vous pouvez, si vous voulez être plus précis, tracer une trame. Pour cela attachez l'extrémité d'une ficelle au centre d'un mur, au niveau du plancher, et l'autre extrémité au centre du mur opposé. Marquez la position de la ficelle sur le plancher, déplacez la ficelle à égale distance sur les deux murs et faites de nouvelles marques. Continuez jusqu'à ce que vous ayez tracé toutes les lignes nécessaires.

TECHNIQUES DU POCHOIR

Pour fixer votre pochoir au mur, vous pouvez utiliser du papier collant léger. Cela le maintiendra en place sans endommager votre surface peinte. Vous pouvez aussi vaporiser au dos du pochoir une colle en bombe qui maintiendra le pochoir en place et vous permettra de le repositionner facilement. Veillez toujours à ce que la pièce soit bien ventilée.

APPLICATION DE LA PEINTURE : Le meilleur conseil que l'on puisse donner ici est de toujours faire un essai sur un morceau de papier. Les autres règles d'or sont les suivantes : utilisez toujours un pinceau sec et propre et ne le surchargez pas de couleur car la peinture s'infiltrerait sous les bords et maculerait le dessin. Un pinceau sale gâcherait vos couleurs.

USAGE DE BÂTONNETS DE PEINTURE : Ils sont munis d'une "pellicule protectrice" qui empêche la peinture de sécher. Pour atteindre la couleur, frottez la pointe du bâtonnet sur un petit morceau d'acétate. Prenez de la peinture en frottant doucement votre pinceau sur le bâtonnet, dans le sens des aiguilles d'une montre puis dans le sens inverse. Tenez votre pinceau à angle droit par rapport au pochoir et appliquez la peinture en mouvements circulaires. Commencez en appliquant la peinture sur les bords de la surface découpée. Ceci créera au centre un espace plus clair, puisque la couleur sera moins épaisse et contribuera à ombrer votre dessin.

USAGE DE PEINTURES POUR POCHOIRS : N'utilisez pas la peinture directement au sortir du pot ou du tube car vous surchargeriez votre pinceau. Mettez-en une petite quantité sur une soucoupe et, si nécessaire, diluez-la avec l'agent diluant adéquat pour obtenir une meilleure consistance. Trempez seulement les extrémités du pinceau. Puis enlevez le surplus sur une serviette en papier ou sur du papier journal en frottant doucement les poils de façon circulaire. Lorsque votre pinceau est pratiquement sec, appliquez doucement la peinture sur le pochoir, toujours par mouvements circulaires. Commencez par peindre les bords pour donner un effet d'ombre.

USAGE DE LA PEINTURE POUR TISSUS : Veillez à poser votre tissu à plat sur une couche de papier absorbant car certains tissus légers laissent passer la peinture. Dans ce cas, vous pourrez utiliser un pinceau trempé car le tissu absorbera beaucoup d'humidité.

La procédure est la même que pour la peinture à l'eau. Je recommande toutefois d'utiliser une colle en bombe pour maintenir le pochoir en place.

USAGE DE LA PEINTURE POUR CÉRAMIQUE : Elle s'applique par tapotements. Tenez le pinceau à angle droit par rapport au pochoir et, en pliant le poignet, tamponnez doucement les parties découpées du pochoir.

USAGE DE LA PEINTURE EN BOMBE : Exercez-vous avant de commencer car il faut un certain temps pour entendre le doux "pschitt" qui indique que la pression sur le bouton est idéale. Maintenez un morceau de carton comme protection à un certain angle par rapport à la partie du pochoir que vous voulez peindre et vaporisez dans cette direction. La peinture glissera sur le pochoir et les fenêtres ne seront pas obstruées. Un simple film de peinture suffit pour chaque couche. Si vous utilisez un pochoir simple, vos couleurs vont peut-être déborder l'une sur l'autre, mais cela crée parfois des effets splendides.

OMBRE : S'il est acceptable de travailler avec des couleurs simples, comme le vert pour les feuilles et le bleu pour les fleurs, vous obtiendrez un effet beaucoup plus professionnel et réaliste en ombrant vos dessins.

Il suffira souvent de mettre de la couleur sur les bords extérieurs de la forme, en laissant la partie centrale plus pâle. Vous obtiendrez un effet similaire en peignant légèrement tout le dessin d'une couleur puis en ajoutant une nouvelle couche sur les bords. On peut aussi utiliser plusieurs couleurs. Par exemple, pour ombrer une fleur bleue, j'ajoute une touche de pourpre à la partie ombrée. Lorsqu'une feuille se penche derrière une fleur, la couleur de la feuille peut servir à ombrer la fleur. Après tout c'est ce qui se passe dans la nature! Ne vous en faites donc pas si des couleurs se mélangent.

DÉCOUPAGE DES POCHOIRS : Utilisez une nouvelle lame pour chaque pochoir car une lame émoussée risque de le déchirer. Posez une main sur l'acétate ou le carton pour le maintenir en place. Prenez le cutter et coupez avec fermeté et souplesse, toujours vers vous mais en vous éloignant de la main qui maintient le pochoir. Coupez chaque fenêtre d'un seul trait pour obtenir des bords nets. Commencez toujours au centre du dessin et travaillez vers l'extérieur, en découpant d'abord les fenêtres les plus petites. Si vous commencez par les grandes, le pochoir sera moins résistant et les découpes suivantes pourraient déchirer les ponts. Laissez un bord de 5 cm environ autour de la forme découpée pour empêcher la peinture de se répandre au-delà.

RÉPARATION DES POCHOIRS : Mettez du papier collant sur chaque côté de la déchirure et corrigez la découpe.

*Lorsque vous commencez un travail au pochoir, prenez la première couleur et appliquez la peinture légèrement sur la surface, dans l'exemple illustré ci-contre la partie représentant les feuilles. A l'aide d'un pinceau propre, appliquez la deuxième couleur selon la même technique. Créez un effet d'ombre intéressant en appliquant une troisième couleur, pour donner profondeur et réalisme à certaines parties de votre dessin. Par exemple au bas de la feuille ou sur les bords extérieurs des pétales. Appliquez enfin la troisième couleur, également à l'aide d'un pinceau propre.*

## INSTRUCTIONS ÉTAPE PAR ÉTAPE

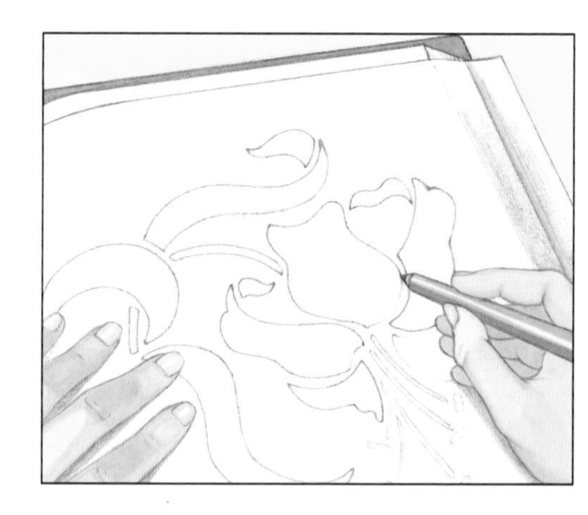

Tracez le dessin que vous aurez choisi soit dans les modèles donnés ici, soit dans un livre de références, sur un papier-calque de bonne qualité. Utilisez un crayon doux. Si vous vous servez d'acétate, tracez le dessin sur la face non brillante de l'acétate. N'oubliez pas que votre dessin sera inversé car vous peindrez toujours sur la face brillante de l'acétate.

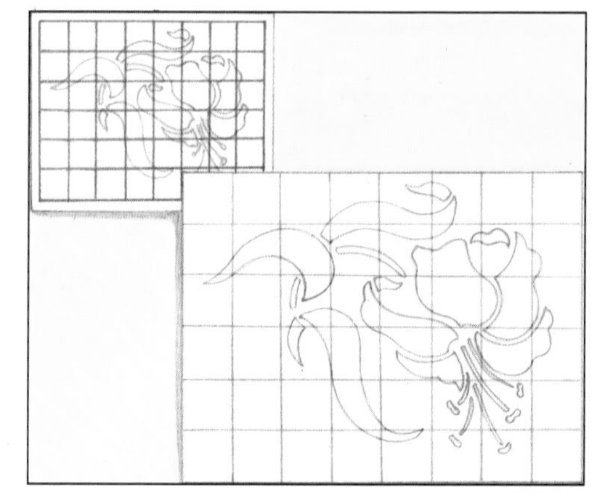

Si le motif ne présente pas la même dimension que votre projet, il vous faudra l'agrandir ou le réduire. Pour cela, prenez un morceau de papier-calque quadrillé puis tracez-y le motif. Prenez un autre morceau de papier quadrillé – dont les carrés sont plus grands ou plus petits, en fonction de vos besoins – et reproduisez le dessin original, carré par carré, sur la seconde grille.

Si vous comptez réaliser votre pochoir avec du carton, il vous faudra alors reproduire le motif sur le carton. Frottez dès lors l'envers du papier-calque au moyen d'un crayon très doux. Placez ensuite le papier-calque, côté crayonné vers le haut, sur le carton et retravaillez les contours en utilisant un crayon dur afin de reproduire le motif sur le carton.

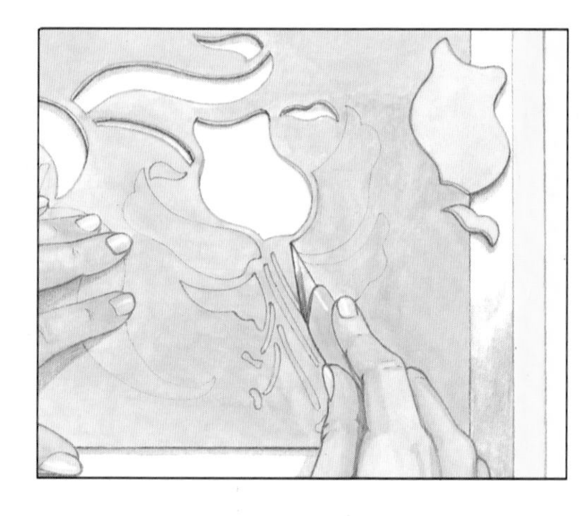

Pour découper une simple forme d'acétate ou de carton, posez-les simplement sur une plaque de verre (dont vous couvrirez les bords de papier collant pour prévenir les accidents) ou sur une planche à découper. En utilisant une nouvelle lame, découpez le pochoir par mouvements fermes et souples. Coupez toujours vers vous mais loin de la main qui tient le pochoir. Découpez chaque fenêtre d'un trait pour un résultat parfait.

Placez le pochoir sur la surface à décorer. Fixez-le, soit au moyen de papier collant, soit avec de la colle en bombe. Celle-ci permet de repositionner le pochoir à plusieurs reprises sans endommager la surface; elle est donc à conseiller aux débutants. Veillez toujours à ce que la pièce soit bien ventilée.

Appliquez un peu de peinture sur un pinceau sec. Eliminez le surplus de peinture sur du papier journal. Il faut appliquer la peinture en plusieurs couches fines plutôt qu'en une seule couche épaisse qui laisserait s'infiltrer la peinture sous le pochoir. En tenant le pinceau comme un crayon et en soutenant le pochoir de l'autre, appliquez la peinture en décrivant des mouvements circulaires, dans le sens des aiguilles d'une montre et dans le sens inverse. Elaborez progressivement la couleur et l'ombre.

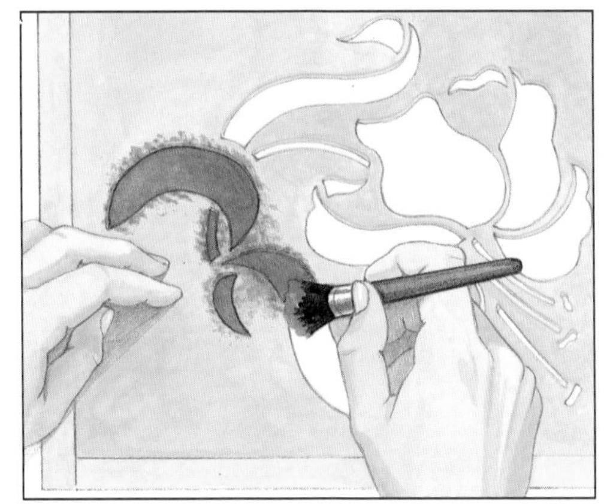

Quand vous aurez terminé la peinture, détachez délicatement le pochoir. En utilisant les repères que vous y aurez tracés, replacez-le plus loin sur la surface et continuez à travailler jusqu'à ce que vous ayez atteint la longueur désirée. Pour des motifs simples, vous pouvez repositionner le pochoir au jugé. Nettoyez tout surplus de peinture sur le pochoir, si nécessaire.

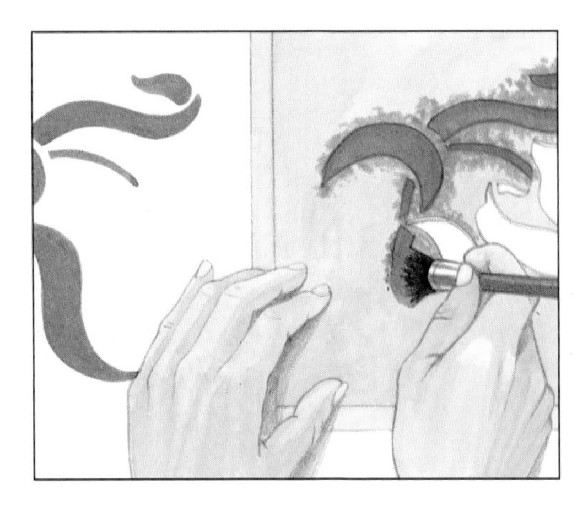

Si vous avez d'autres formes destinées à d'autres couleurs, placez chacune d'elles successivement sur la partie à colorier en vous servant des points de repère. Vous ne devriez pas attendre longtemps pour la seconde couche, la plupart des peintures pour pochoirs séchant rapidement. N'oubliez pas de prendre un pinceau propre pour chaque couleur.

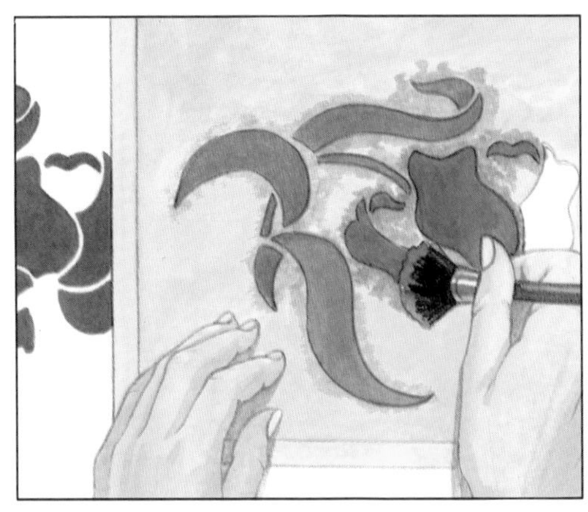

# INDEX

Les numéros de page *en italique* renvoient aux illustrations.